BOLSILLO
ZETA

Título original: *Vittorio, the Vampire*

Traducción: Camila Batlles

1.ª edición: enero 2006

para el sello Zeta Bolsillo
Bailén, 84 - 08009 Barcelona (España)
www.edicionesb.com

Para su venta exclusiva en España.

Diseño de colección: Ignacio Ballesteros

Printed in Spain
ISBN: 84-96546-84-5
Depósito legal: B. 48.880-2005

Impreso por LIBERDÚPLEX, S.L.
Ctra. BV 2249 Km 7,4 Polígono Torrentfondo
08791 - Sant Llorenç d'Hortons (Barcelona)

VITTORIO EL VAMPIRO

ANNE RICE

Dedicatoria de Anne Rice

Esta novela está dedicada a
Stan, Christopher, Michele y Howard;
a Rosario y Patrice;
a Pamela y Elaine;
y a Niccolo.

Esta novela está
dedicada
por
Vittorio
a las gentes de
Florencia, Italia.

1

Quién soy, por qué escribo, qué acontecerá

Cuando era niño tuve una espantosa pesadilla. Soñé que sostenía en mis brazos las cabezas cortadas de mi hermano y hermana menores. Estaban inmóviles, mudos; los ojos abiertos no dejaban de pestañear, las mejillas teñidas de rojo. Yo estaba tan horrorizado que me quedé mudo como ellos, incapaz de articular palabra.

El sueño se hizo realidad.

Pero nadie llorará por mí ni por ellos. Mis hermanos han sido enterrados, en una fosa anónima, bajo el peso de cinco siglos.

Soy un vampiro.

Me llamo Vittorio y escribo este relato en la torre más alta del castillo en ruinas donde nací; se alza en la cima de una colina, en la parte septentrional de la Toscana, esa región tan hermosa del centro de Italia.

Nadie puede negar que soy un vampiro extraordinario, muy poderoso, pues he vivido quinientos años, desde los gloriosos tiempos de Cosme de Médicis, e incluso los ángeles confirmarán mis poderes si consigue el lector que le hablen. Le aconsejo prudencia en ese extremo.

Debo precisar que no tengo nada que ver con la Asamblea de los Eruditos, esa pandilla de estrafalarios y románticos vampiros oriundos de la ciudad sureña del Nuevo Mundo llamada Nueva Orleans, donde habitan y desde la cual han ofrecido al lector numerosos relatos y crónicas.

No sé nada sobre esos héroes macabros que fingen ser personajes de ficción. No sé nada de su sugestivo paraíso en las tierras pantanosas de Luisiana. En estas páginas el lector no hallará ningún dato, ni en lo sucesivo mención alguna, sobre ellos.

No obstante, me han desafiado a escribir la historia de mis comienzos —la fábula de mi creación—, y plasmar este fragmento de mi vida en un libro que se distribuirá en el mundo entero, por así decirlo, ahí posiblemente entrará en contacto, de forma casual o predestinada, con los exitosos volúmenes que han publicado ellos.

He dedicado los siglos de mi existencia vampírica a recorrer el mundo, observando y analizando con atención cuanto veía, sin exponerme jamás a sufrir daño alguno a manos de los de mi especie, sin suscitar sus recelos ni dejar que adivinaran mi presencia.

Pero ése no es el tema de mis aventuras.

Esta historia versa, como ya he dicho, sobre mis comienzos. Creo que puedo ofrecer unas revelaciones que resultarán interesantes. Es posible que cuando termine mi libro y éste desaparezca de mis manos, tome las medidas necesarias para convertirme en uno de esos imponentes personajes propios de una novela río creados por otros vampiros en San Francisco y Nueva Orleans. Pero de momento, ni lo sé ni me importa.

Mientras paso mis apacibles noches aquí, entre las piedras ahora cubiertas de malezas en este lugar donde pasé una infancia feliz, entre nuestros derruidos muros tapizados de espinosas matas de zarzamoras y los fragantes y tupidos bosques de robles y castaños, me siento obligado a dejar constancia de lo que me ocurrió, pues tengo la impresión de haber sufrido una suerte muy distinta de la de otros vampiros.

No siempre vivo aquí.

Paso mucho tiempo en esa ciudad que para mí constituye la reina de todas las ciudades: Florencia, de la que me enamoré desde el momento en que la vi con los ojos de un niño, durante los años en que Cosme el Viejo dirigía en persona el poderoso banco de los Médicis, aunque era el hombre más rico de Europa.

En casa de Cosme de Médicis se alojaba el gran escultor Donatello, autor de esculturas en mármol y bronce, así como un gran número de pintores y poetas, escritores prodigiosos y músicos. Por aquella época el gran Brunelleschi, que hizo la cúpula de la iglesia más imponente de Florencia, comenzaba las obras de otra catedral para Cosme, y Michelozzo no sólo reconstruía el monasterio de San Marcos sino que iniciaba las obras de un palacio para Cosme que sería conocido como el palacio Vecchio. A instancias de aquél, unos hombres recorrían Europa buscando en vetustas bibliotecas los clásicos olvidados de Grecia y Roma, que los eruditos contratados para ello traducían a nuestra lengua nativa, el italiano, la lengua que Dante eligiera muchos años atrás para su *Divina Comedia*.

Siendo yo un niño mortal con un destino prometedor, vi bajo el techo de Cosme —con mis propios ojos, sí— a los ilustres miembros del concilio de Trento, que llegados de la lejana Bizancio se disponían a subsanar la brecha abierta entre la Iglesia de Oriente y la de Occidente: el papa Eugenio IV, el patriarca de Constantinopla y el emperador de Oriente, Juan VIII Paleólogo. Vi a estos grandes hombres entrar en la ciudad bajo un feroz aguacero, pero con indescriptible dignidad, y los vi sentados a la mesa de Cosme.

«Es suficiente», pensará el lector. Estoy de acuerdo. Ésta no es la historia de los Médicis. Sin embargo, permítaseme añadir que cualquiera que diga que esos grandes hombres eran unos canallas, es un perfecto idiota. Fueron los descendientes de Cosme quienes apoyaron a Leonardo da Vinci, a Miguel Ángel y a un sinfín de artistas. Y todo porque a un banquero, un prestamista si se quiere, se le ocurrió la magnífica idea de conferir belleza y esplendor a la ciudad de Florencia.

Volveré a ocuparme de Cosme dentro de unos momentos, y sólo para agregar unas breves palabras, aunque debo confesar que me resulta difícil ser breve en esta historia. Por el momento me limitaré a añadir que Cosme pertenece al mundo de los vivos.

Yo llevo durmiendo con los muertos desde 1450.

Comencemos por el principio, pero permítaseme un preámbulo más.

No espere encontrar el lector un lenguaje rebuscado en este libro. No hallará un estilo rígido y falso destinado a evocar muros de castillos mediante un vocabulario ampuloso y encorsetado.

Relataré mi historia de forma natural y efectiva, deleitándome con las palabras, pues confieso que siento una fuerte atracción por éstas. Y puesto que soy inmortal, he devorado más de cuatro siglos de inglés, desde las obras teatrales de Christopher Marlowe y Ben Jonson al vocabulario sucinto y ásperamente evocador de una película de Sylvester Stallone.

El lector comprobará que utilizo un lenguaje flexible, audaz, en ocasiones chocante. Pero es natural que saque el máximo provecho de mis dotes narrativas, sobre todo teniendo en cuenta que hoy en día el inglés ya no es la lengua de un país, ni de tres o cuatro, sino que se ha convertido en la lengua de todo el mundo moderno, desde el más remoto pueblecito de Tennessee hasta las lejanas islas celtas pasando por las populosas ciudades de Australia y Nueva Zelanda.

Yo nací en el Renacimiento. Por consiguiente, me interesa todo tipo de temas, me codeo sin prejuicios con toda clase de gente y estoy convencido de que hay algo noble en lo que hago.

En cuanto a mi italiano nativo, repárese en su suavidad al pronunciar mi nombre, Vittorio, y aspírese el perfume de los otros nombres que aparecen en este texto. Se trata de una lengua tan dulce que convierte el vocablo inglés *stone* (piedra) en una palabra de dos sílabas: *pietra*. Jamás ha existido en la tierra una lengua más dulce. Hablo otros idiomas con el acento italiano que se oye actualmente en las calles de Florencia.

El hecho de que a mis víctimas de habla inglesa les seduzcan mis halagos, pronunciados con mi peculiar acento italiano, y se rindan ante mi suave dicción, me colma de placer.

Pero no me siento feliz.

Lo aseguro.

No escribiría un libro para convencer al lector de que un vampiro se siente feliz.

Poseo un cerebro a la par que un corazón, y una apariencia etérea, creada sin lugar a dudas por un poder sublime; e imbricada en el tejido intangible de esa apariencia etérea existe lo que los hombres denominan alma. Poseo un alma. Ni un torrente de sangre lograría ahogar su existencia y reducirme a la condición de un fantasma de buen ver.

«De acuerdo. No hay problema. Sí, sí, ¡gracias! —como todo el mundo sabe decir en inglés—. Estamos listos para comenzar.»

No obstante, citaré las palabras de un oscuro pero magnífico escritor, Sheridan Le Fanu, un párrafo pronunciado con tremenda ira por el atormentado personaje de una de sus numerosas y exquisitas historias de fantasmas. Este autor dublinés murió en 1873, pero obsérvese la frescura de su lenguaje, y lo terrorífico de la expresión del personaje del capitán Barton en el relato titulado *Lo familiar*:

> Sea cual fuere mi incertidumbre con respecto a la autenticidad de lo que hemos dado en llamar revelación, si de algo estoy profunda y angustiosamente convencido es de que «más allá» existe un mundo espiritual, un sistema cuyos pormenores por fortuna se nos ocultan, pero que

en ocasiones se nos revela de forma parcial y terrible. Me consta, sé que existe un Dios —un Dios pavoroso—, y que la culpa es castigada, de forma misteriosa e inexorable, por medio de lo inexplicable y terrorífico; que existe un sistema espiritual —¡juro por Dios que estoy convencido de ello!—, un sistema maligno, implacable, omnipotente, que me persigue y bajo el cual padezco, y he padecido, el tormento de los condenados.

¿Qué os parece?

Personalmente, este párrafo me impresiona muchísimo. No creo estar preparado para hablar de nuestro Dios como un ser «pavoroso» ni de nuestro sistema como «maligno», pero estas palabras, que aunque pertenecen a un relato están escritas con intensa emoción, revelan una carga de sinceridad tan sobrecogedora como innegable.

A mí me preocupan porque sufro una espantosa maldición, específica de los vampiros. Es decir, los otros no comparten esta preocupación. Pero creo que todos nosotros —humanos, vampiros, cualquier ser que sienta y llore— sufrimos una maldición: la de saber más de lo que somos capaces de soportar, y no hay nada que podamos hacer para resistirnos a la fuerza y atracción de este hecho.

Al final retomaremos este tema. Pero veamos qué conclusiones saca el lector de mi historia.

Aquí ha anochecido. Los magníficos vestigios de la torre más alta del castillo de mi padre se elevan lo suficiente, recortándose contra el cielo tachonado de dulces estrellas, para que yo contemple desde la ventana las colinas y los valles toscanos iluminados por la luna, sí, hasta el resplandeciente mar que se extiende más abajo de las minas de Carrara.

Percibo el olor de la tupida hierba del escabroso e inexplorado territorio donde las azucenas de la Toscana estallan en un rojo o blanco violentos en los soleados macizos de flores, para que yo los descubra durante la aterciopelada noche.

Y así, arropado y protegido, escribo, preparado para el momento en que la luna llena pero oscura me abandone y se refugie detrás de las nubes. Entonces encenderé las velas, seis en total, dispuestas en los candelabros de plata exquisitamente labrada que adornaron el escritorio de mi padre en la época en que éste era el señor feudal de la montaña y sus aldeas, y firme aliado en la paz y en la guerra de la gran ciudad de Florencia y de su gobernante no oficial, cuando éramos ricos, emprendedores, curiosos y nos sentíamos maravillosamente satisfechos.

Permítaseme hablar ahora sobre lo que ha desaparecido.

2

Mi pequeña vida mortal, la belleza de Florencia, el esplendor de nuestra pequeña corte... Todo cuanto ha desaparecido

Yo contaba dieciséis años en el momento de mi muerte. Tengo una buena estatura, el pelo castaño y espeso, largo hasta los hombros, unos ojos de color marrón claro demasiado vulnerables para mirarlos fijamente, que me confieren cierto aspecto andrógino, una bonita nariz estrecha con las fosas normales, y una boca de tamaño mediano, ni voluptuosa ni mezquina. Un chico bellísimo para la época. De no haberlo sido, no estaría vivo en estos momentos. Es el caso de la mayoría de los vampiros, aunque digan lo contrario. La belleza nos conduce a la perdición. O, para ser más precisos, quienes nos convierten en inmortales son aquellos incapaces de sustraerse a nuestros encantos.

No poseo un rostro aniñado, pero sí casi angelical. Tengo las cejas bien delineadas, oscuras, lo bastante separadas de los ojos para que éstos resulten peligrosamente luminosos. Mi frente resultaría demasiado ancha si no fuera tan lisa, y si no poseyera la abundante cabellera castaña que constituye un marco rizado y ondulado para mi rostro. Tengo la barbilla demasiado pronunciada y cuadrada en comparación con el resto de mis facciones, y en el medio de ella, un hoyuelo.

Mi cuerpo es excesivamente musculoso, fuerte, de torso

amplio y brazos poderosos, lo que da una impresión de fuerza viril. Esto disimula el aire obstinado de la mandíbula y me permite pasar por un hombre de carne y hueso, al menos visto desde una cierta distancia.

Debo mi desarrollada musculatura a muchas horas de fatigoso entrenamiento con una pesada espada durante los últimos años de mi vida, y a la feroz práctica de la cetrería en las montañas. A menudo subía y bajaba por las laderas a pie, aunque a esa edad ya poseía cuatro caballos, entre ellos uno de una raza majestuosa y especial destinado a soportar mi peso cuando llevaba puesta la armadura, que sigue enterrada bajo esta torre. Jamás la utilicé en una batalla. En mis tiempos Italia estaba en guerra, pero todas las batallas de los florentinos fueron libradas por mercenarios.

Lo único que tenía que hacer mi padre era proclamar su absoluta lealtad a Cosme y no permitir que ningún representante del Sacro Imperio Romano, el duque de Milán o el papa de Roma desplazara sus tropas a través de los pasos de nuestra montaña o se detuviera en nuestras aldeas.

Nosotros vivíamos alejados del fragor de la batalla. No existía ningún problema. Mis intrépidos antepasados habían construido este castillo hacía trescientos años. Nuestro linaje se remontaba a la época de los lombardos, o esos bárbaros que llegaron a Italia procedentes del norte, y creo que su sangre corre por nuestras venas. Pero ¿quién sabe? Desde la caída de la antigua Roma, numerosas tribus han invadido Italia.

Poseíamos interesantes reliquias paganas; en ocasiones hallábamos extrañas lápidas en los campos, y pequeñas diosas de piedra que los campesinos atesoraban si no las confiscábamos. Debajo de nuestros torreones se ocultaban unas criptas que según algunos se remontaban a los tiempos anteriores al nacimiento de Jesucristo, lo cual he podido constatar. Esos lugares pertenecían a las gentes conocidas históricamente como etruscos.

Nuestra familia, fiel al viejo orden feudal, despreciaba el

comercio, exigía de los varones arrojo y valor, y era dueña de infinidad de tesoros adquiridos a través de las guerras que ni siquiera estaban inventariados: antiguos candelabros de plata y oro, recios arcones de madera incrustados de diseños bizantinos, innumerables tapices flamencos, toneladas de encaje y cortinas ribeteadas a mano con oro y gemas , así como multitud de prendas de suntuosos tejidos.

Mi padre, gran admirador de los Médicis, solía traer toda clase de objetos exquisitos de sus viajes a Florencia. Las salas importantes apenas mostraban unos palmos de piedra desnuda, pues los tapices y alfombras de lana estampada con flores cubrían los muros y los suelos, y todas las habitaciones y alcobas poseían unos gigantescos armarios que contenían las pesadas y chirriantes armaduras de guerra de unos héroes cuyos nombres nadie recordaba ya.

Éramos increíblemente ricos, un dato que averigüé de niño, y con el paso del tiempo deduje que nuestra riqueza se debía tanto al valor demostrado en la guerra como a ciertos tesoros paganos secretos.

Por supuesto, durante algunos siglos nuestra familia peleó contra otras poblaciones y fortalezas, en una época en que un castillo asediaba a otro y los muros eran derribados tan pronto como se erigían. En la ciudad de Florencia se había iniciado la eterna disputa entre los contumaces y asesinos güelfos y gibelinos.

La antigua Comuna de Florencia enviaba ejércitos para derribar castillos como el nuestro y reducir a cualquier señor feudal a un estado de total impotencia.

Pero esa época hacía mucho que había pasado.

Nosotros sobrevivimos gracias a la inteligencia y a unas decisiones acertadas; además, vivíamos aislados en nuestro escarpado y desolado territorio, coronando una auténtica montaña, pues es aquí donde los Alpes descienden a la Toscana, y los castillos de las inmediaciones no eran sino unas ruinas abandonadas.

Nuestro vecino más próximo gobernaba su enclave de aldeas montañosas con lealtad al duque de Milán.

Pero no nos importunaba y nosotros no le importunábamos a él. Era un asunto político que nos tocaba de lejos.

Nuestros muros medían diez metros de altura y eran enormemente gruesos, más antiguos que el castillo y sus dependencias, más incluso que las fábulas románticas que contaba la gente. Era preciso reforzarlos y repararlos continuamente, y dentro del recinto existían tres pequeñas aldeas con unos viñedos que daban un excelente vino tinto, prósperas colmenas, arándanos, trigo y, demás, un sinfín de gallinas y vacas, y unos establos enormes para nuestros caballos.

Yo nunca supe cuántas personas trabajaban en nuestro pequeño mundo. La casa estaba llena de secretarios que se ocupaban de esas cosas; mi padre rara vez juzgaba un caso, ni había motivos para acudir a los tribunales de Florencia.

Nuestra iglesia era la que correspondía a toda la zona circundante. Así, quienes vivían en las numerosas aldeas menos protegidas que se hallaban en las laderas acudían a nosotros a la hora de celebrar bautizos, matrimonios y demás, y durante largos períodos un sacerdote dominico decía misa para nosotros todas las mañanas dentro de los muros de nuestro castillo.

Antiguamente, habían talado buena parte del bosque que cubría nuestra montaña para impedir que el enemigo invasor subiera por las laderas, pero en mi época no se necesitaba esa protección.

Los árboles crecían de nuevo frondosos y fragantes en algunos barrancos y junto a vetustos senderos, formando una espesura tan salvaje como hoy en día, que casi alcanza los muros del castillo. Desde nuestras torres divisábamos con nitidez una docena de pequeñas aldeas que se extendían hasta el valle, con sus pequeños campos arados semejantes a colchas, sus olivares y viñedos. Todos estaban bajo nuestro gobierno y nos eran leales. En caso de estallar una guerra, lógicamente habrían corrido a refugiarse tras los muros del castillo, como ya hicieran sus antepasados.

Había días de mercado, fiestas típicas aldeanas, festividades de santos patronos, un poco de alquimia e incluso algún que otro milagro local. La nuestra era una buena tierra.

Los clérigos que acudían a visitarnos siempre se quedaban una buena temporada. No era infrecuente que dos o tres sacerdotes se alojaran en las diferentes torres del castillo o en los edificios de piedra situados más abajo, más nuevos y modernos.

De niño me enviaron a estudiar a Florencia, donde vivía con todo lujo en el palacio del tío de mi madre, quien murió antes de que yo cumpliera trece años. Luego, cuando cerraron la casa, regresé al hogar paterno con dos ancianas tías, y a partir de entonces visité Florencia en contadas ocasiones.

Mi padre seguía siendo un hombre anticuado, instintiva e indómitamente un señor feudal, aunque procuraba mantenerse al margen de las luchas por el poder que se desarrollaban en la capital, disponer de unas gigantescas cuentas corrientes en los bancos de los Médicis y llevar la vida de un aristócrata de los viejos tiempos en sus dominios, visitando a Cosme de Médicis cuando viajaba a Florencia para atender sus asuntos.

Pero en lo tocante a su hijo, él deseaba que yo fuera educado como un príncipe, un *padrone*, un caballero, aprendiendo las artes y los valores de un caballero. A los trece años yo montaba ataviado con una armadura, con la cabeza cubierta con un yelmo y agachada, a galope tendido y apuntando con mi lanza una diana rellena de paja. No me resultaba difícil. Era tan divertido como cazar, nadar en los arroyos de la montaña o competir en carreras de caballos con los jóvenes aldeanos. Me apliqué en ello sin rebelarme.

No obstante, yo era un joven de personalidad ambivalente. Mi parte mental había sido alimentada en Florencia por excelentes maestros de latín, griego, filosofía y teología.

Participaba en obras religiosas y profanas ofrecidas por los jóvenes en la ciudad, asumiendo a menudo el papel protagonista en los dramas que presentaba mi hermandad en casa de mi tío: era tan capaz de encarnar con aire solemne al Isaac bíblico dispuesto a ser sacrificado por el obediente Abraham, como al seductor ángel Gabriel que descubría un receloso san José junto a su Virgen María.

De vez en cuando echaba de menos eso, los libros, las conferencias en la catedral, que escuchaba con interés precoz, y las hermosas noches en la casa florentina de mi tío. Allí me dormía arrullado por los sonidos de las espectaculares funciones operísticas, con mi mente rebosante de las prodigiosas figuras que descendían sobre el escenario suspendidas de unos alambres, la música de los laúdes y el furioso batir de los tambores, los bailarines, que giraban y brincaban casi como acróbatas, y las voces que cantaban maravillosamente al unísono.

Tuve una infancia regalada. En la hermandad juvenil a la que pertenecía, conocí a los jóvenes pobres de Florencia, hijos de comerciantes, huérfanos y pupilos de los monasterios y las escuelas, porque así vivía un señor feudal en mis tiempos. Uno tenía que tratar con la plebe.

De niño me escapaba con frecuencia de la casa, al igual que más tarde salía a hurtadillas del castillo. Recuerdo las celebraciones y las festividades de los santos patronos y las procesiones de Florencia con demasiado detalle para un niño florentino disciplinado. Me gustaba mezclarme con la multitud, contemplar las carrozas vistosamente engalanadas en honor de los santos, y maravillarme de la solemnidad que mostraban los silenciosos participantes en la procesión mientras portaban las velas y avanzaban con lentitud, como sumidos en un trance de devoción.

Sí, debí de ser un bribón. Me consta. Me escabullía por la puerta de la cocina. Sobornaba a los sirvientes. Tenía muchos amigos que eran unos brutos o unos bestias. Me metía en todo tipo de líos y regresaba a casa corriendo. Jugábamos a la pelota y nos peleábamos en las plazas, y los sacerdotes nos ponían en fuga con látigos y amenazas. Yo era bueno y malo, pero nunca perverso.

Después de morir para el mundo terrenal a los dieciséis años, no volví a contemplar una calle a la luz del sol, ni en Florencia ni en parte alguna. Pero puedo afirmar que vi lo mejor de aquélla. Imagino sin la menor dificultad el espectáculo de la fiesta de san Juan, cuando todos los comercios de la ciudad exhibían en la calle sus artículos más costosos, y los monjes y frailes cantaban los himnos más dulces mientras se dirigían a la catedral para dar gracias a Dios por la bendita prosperidad de la que gozaba la ciudad.

Podría seguir enumerando las virtudes de Florencia en esos tiempos, pues era una ciudad de hombres que trabajaban en el comercio y los negocios pero a la vez creaban unas maravillosas obras de arte, de hábiles políticos y auténticos santos poseídos por la gracia divina, de poetas profundamente espirituales y de los canallas más desvergonzados. Creo que en aquella época Florencia conocía muchas de las cosas que más tarde descubrirían Francia e Inglaterra, y que algunos países desconocen todavía. Hay dos cosas ciertas: Cosme era el hombre más poderoso del mundo. Y el pueblo, y sólo el pueblo, gobernaba entonces y siempre.

Pero regresemos al castillo. Una vez en casa continué con mis lecturas y mis estudios, pasando, de la noche a la mañana, de ser un caballero a un erudito. Si existía alguna sombra en mi vida, fue que al cumplir dieciséis años tenía edad suficiente para asistir a la universidad, y yo lo sabía, y en cierto modo deseaba hacerlo, pero en aquel entonces estaba ocupado criando nuevos halcones, a los que adiestraba yo mismo y con los que cazaba, y la vida en el campo era irresistible.

A los dieciséis años yo era considerado un intelectual por el clan de parientes ancianos que se reunían cada noche en torno a la mesa del castillo, en su mayoría tíos de mis padres, todos pertenecientes a una época en que «los banqueros no gobernaban el mundo». Ellos relataban unas historias fascinantes sobre las cruzadas, en las que habían participado de jóvenes, y sobre lo que presenciaron en la feroz batalla de Acre, o las luchas en la isla de Chipre o Rodas, y sobre la vida en el mar y en los numerosos y exóticos puertos en los que eran el terror de las tabernas y las mujeres.

Mi madre era una mujer hermosa y vivaz, con el pelo castaño y unos ojos muy verdes; adoraba la vida campestre, pero no conocía Florencia salvo desde el interior de un convento. Pensaba que yo debía de estar loco porque me gustaba leer los versos de Dante y escribir poesías.

Mi madre vivía sólo para recibir a nuestros convidados con exquisita elegancia, asegurándose de que los suelos estuvieran cubiertos de espliego y hierbas aromáticas, que el vino fuera especiado. Ella misma abría el baile con un tío abuelo mío que era un excelente bailarín, porque mi padre detestaba bailar.

Todo esto, después de vivir en Florencia, me parecía un tanto ridículo y aburrido. Prefería las historias de guerra.

Mi madre debía de ser muy joven cuando se casó con mi padre, porque estaba encinta la noche en que murió. La criatura murió también. Pasaré rápidamente a ese episodio. Es decir, tan rápido como pueda. No se me dan bien las prisas.

Mi hermano, Matteo, tenía cuatro años menos que yo y era un excelente estudiante, aunque aún no le habían enviado a estudiar a ningún sitio (ojalá lo hubieran hecho), y mi hermana, Bartola, nació al cabo de menos de un año después de que yo hubiese llegado al mundo, una circunstancia de la que mi padre se avergonzaba un poco.

Matteo y Bartola me parecían las personas más hermosas e interesantes del mundo. Nos divertíamos en el campo y gozábamos de libertad para corretear por el bosque, coger arándanos, sentarnos a los pies de gitanos que nos relataban historias antes de que las autoridades los detuvieran y expulsaran. Nos queríamos mucho. Matteo sentía por mí auténtica adoración, porque yo era muy lenguaraz y podía convencer a mi padre de lo que fuera. Mi hermano no se percataba de la fuerza sosegada y los exquisitos modales de nuestro padre. Yo era el maestro de Matteo en muchas materias. En cuanto a Bartola, era muy rebelde y mi madre no podía controlarla. A ella le horrorizaba que Bartola llevara siempre su larga melena cubierta de ramitas, pétalos, hojas y tierra debido a nuestros juegos en el bosque.

Con todo, Bartola se veía obligada a dedicar muchos ratos a bordar, aprender canciones, poesías y plegarias. Era demasiado exquisita y rica para dejar que alguien la apremiara a hacer algo que ella no deseaba. Mi padre la adoraba, y más de una vez me pidió con pocas palabras que la vigilara durante nuestras correrías por el bosque. Cosa que yo hacía. ¡Habría sido capaz de matar a cualquiera que la tocase!

¡Ah, esto es demasiado para mí! ¡No me percataba de lo duro que iba a ser esto! Bartola. ¡Matar a cualquiera que la tocase! Las pesadillas se abaten sobre mí como si se trataran de unos espíritus alados, y amenazan con ocultar las minúsculas, silenciosas y huidizas luces del cielo.

Me temo que he perdido el hilo de mis pensamientos.

Nunca comprendí a mi madre, y ella probablemente no me entendía a mí, porque para ella todo se reducía a un problema de estilo y buenos modales; mi padre me parecía cómicamente autosatírico y muy divertido.

Mi padre, a pesar de sus bromas y comentarios sarcásticos, era bastante cínico, pero al mismo tiempo bondadoso; no se dejaba impresionar por los modales pomposos de los demás, ni siquiera por sus propias pretensiones. Consideraba que la situación de la humanidad era una causa perdida. La guerra le parecía cómica, desprovista de héroes y llena de bufones, y rompía a reír en medio de las arengas de sus tíos, o en medio de uno de mis prolijos poemas; jamás le oí dirigir una palabra amable a mi madre.

Era un hombre corpulento, sin barba ni bigote pero con una cabellera abundante; tenía los dedos largos y finos, lo cual era raro en un hombre de su corpulencia, pues todos sus tíos tenían las manos regordetas. Yo he heredado sus manos. Todas las hermosas sortijas que lucía habían pertenecido a su madre.

Mi padre vestía de forma más suntuosa de como lo habría hecho en Florencia: ropas de terciopelo recamadas con perlas, y unas holgadas capas forradas de armiño. Sus guantes eran unas manoplas ribeteadas con piel de zorro, y tenía los ojos grandes, de mirada profunda, más hundidos que los míos, los cuales expresaban desdén, incredulidad y sarcasmo.

Con todo, jamás se comportó de manera cruel con nadie.

Su única concesión a la modernidad era que le gustaba beber en copas de fino cristal, en lugar de las antiguas copas de madera dura, oro o plata. Nuestra larga mesa siempre estaba repleta de relucientes copas de cristal.

Mi madre nunca dejaba de sonreír cuando decía a mi padre cosas como: «Señor mío, haz el favor de retirar los pies de la mesa» o «¿Es que piensas entrar así en casa?». Pero debajo de su encantadora fachada, creo que ella le odiaba.

La única vez que la oí alzar la voz a mi padre fue para afirmar sin rodeos que la mitad de los niños de nuestras aldeas habían sido engendrados por él, y que ella misma había enterrado a unas ocho criaturas que nacieron muertas, acusándolo de ser tan fogoso como un semental e incapaz de contener sus impulsos sexuales.

Mi padre se quedó tan estupefacto ante ese arrebato, ocurrido a puerta cerrada, que salió del dormitorio pálido y demudado y me dijo:

—¿Sabes, Vittorio? Tu madre no es tan estúpida como yo creía. Ni mucho menos. No es más que una mujer aburrida.

En circunstancias normales nunca habría hecho un comentario tan despiadado sobre ella. No cesaba de temblar.

En cuanto a mi madre, cuando traté de tranquilizarla, me lanzó una jofaina de plata.

—¡Pero si soy yo, madre,Vittorio!

Entonces ella se arrojó en mis brazos y lloró con amargura por espacio de quince minutos.

Durante ese rato no dijimos nada. Ambos permanecimos sentados en la pequeña alcoba de piedra de mi madre, que se hallaba en el piso superior de la torre más antigua de nuestra casa y estaba decorada con numerosos muebles dorados, antiguos y modernos. Al cabo de unos minutos se enjugó los ojos y dijo:

—Él los mantiene a todos, ¿sabes? Se ocupa de mis tías y mis tíos. ¿Qué sería de ellos si no lo hiciera? Jamás me ha negado nada. —Continuó parloteando con su voz dulce y bien modulada, típica de una mujer educada por las monjas—: Esta casa está llena de ancianos cuya sabiduría os ha beneficiado a tus hermanos y a ti, y todo gracias a tu padre, que siendo lo bastante rico para marcharse a cualquier lugar, es demasiado bueno para hacer algo así. Pero por Dios te lo ruego, Vittorio, no..., me refiero a... con las chicas de la aldea.

Casi respondí, en un arrebato de deseo de tranquilizarla, que sólo había engendrado un bastardo, al menos que yo supiera, y que era un chico fuerte y sano, pero comprendí que eso sería desastroso. De modo que callé.

Ésa podría haber sido la única conversación que mantuve con mi madre. Pero en realidad no fue una conversación, puesto que yo no dije nada.

No obstante, ella tenía razón. Tres tías y dos tíos suyos vivían con nosotros en nuestro castillo amurallado. Vivían más que bien, vestían ropas suntuosas confeccionadas en la ciudad con materiales modernos y gozaban de la vida más regalada que cabe imaginar. Yo me beneficiaba de escucharles a todas horas, cosa que hacía encantado, pues sabían muchas cosas.

Los tíos de mi padre también vivían con todo lujo, pero a fin de cuentas la tierra era suya, de la familia, de modo que se creían con más derecho, pues habían peleado heroicamente en Tierra Santa, o eso pensaba yo. Discutían con mi padre sobre todo tipo de cosas, desde el sabor de los pastelitos de carne que comíamos para cenar hasta el absurdo estilo moderno de los pintores que mi padre había contratado en Florencia para que decoraran nuestra pequeña capilla.

Ésa era otra de las aficiones de mi padre: le encantaban los pintores de la época, quizá su único aspecto moderno aparte de su pasión por los objetos de cristal.

Nuestra pequeña capilla había permanecido desnuda durante siglos. Al igual que las cuatro torres del castillo y los muros que lo circundaban, se construyó con una piedra de color claro muy común en el norte de la Toscana. No se trata de la piedra oscura que abunda en Florencia, de color gris y que parece siempre sucia. Esta piedra es casi del color rosa pálido de algunas rosas.

Siendo yo muy joven mi padre mandó venir a unos discípulos de Florencia, unos excelentes pintores que habían estudiado con Piero della Francesca y otros maestros, para que decoraran los muros de la capilla con motivos basados en las hermosas historias de santos y gigantes bíblicos que aparecen en los libros conocidos como *La leyenda dorada.*

Mi padre, que no era un hombre muy imaginativo, se inspiró en lo que había visto en las iglesias de Florencia y ordenó a esos pintores que narraran las historias de Juan el Bautista, santo patrón de la ciudad y primo de Nuestro Señor, de forma que durante los últimos años de mi vida en la Tierra, nuestra capilla aparecía decorada con las figuras de santa Isabel, san Juan, santa Ana, la Virgen María, Zacarías y todos los ángeles, ataviados, como era costumbre de la época, con ricos ropajes florentinos.

Mis ancianos tíos y tías se oponían a este estilo pictórico «moderno», tan distinto de las obras austeras de Giotto o Cimabue. En cuanto a los aldeanos, dudo que las comprendieran, pero se mostraban tan impresionados por las pinturas de la capilla cuando acudían para celebrar una boda o un bautismo que no importaba.

Yo me sentí tremendamente feliz de asistir a la ejecución de esas obras y conversar con los pintores, los cuales ya habían desaparecido cuando fui salvajemente asesinado y mi vida terrenal llegó a su fin.

Yo había visto grandes obras pictóricas en Florencia y una de mis debilidades era pasear por la ciudad y contemplar las espléndidas imágenes de ángeles y santos en las lujosas capillas de las catedrales. Incluso vi, durante uno de mis viajes a Florencia con mi padre, al temperamental pintor Filippo Lippi, quien en aquellos días se encontraba secuestrado en casa de Cosme para que terminara una pintura que éste le había encargado.

Confieso que me impresionó aquel hombre sencillo y a la vez imponente, la forma en que discutía y protestaba y recurría a todo tipo de estratagemas con el fin de conseguir permiso para abandonar el palacio mientras Cosme, alto, delgado, de aire solemne y voz queda, sonreía e intentaba aplacar los exaltados ánimos del pintor, ordenándole que regresara de nuevo al trabajo y asegurándole que se sentiría satisfecho cuando hubiera terminado su obra.

Filippo Lippi era un monje, pero como todo el mundo sabía, las mujeres lo volvían loco. Era el clásico bribón simpático. Su afán de abandonar el palacio no obedecía a otro motivo que ir a visitar a ciertas féminas, y más tarde oí decir a algunos comensales en la casa de nuestros anfitriones en Florencia que Cosme debía de encerrar a Filippo en una habitación con varias mujeres para tenerlo contento. Pero no creo que Cosme siguiera esos consejos. De lo contrario, sus enemigos lo habrían convertido en la comidilla de Florencia.

Permítaseme una puntualización importante. Jamás olvidé mi primera impresión del genial Filippo, pues así lo consideraba y sigo considerando.

—¿Qué te ha atraído de él? —me preguntó mi padre.

—Es al mismo tiempo bueno y malo —respondí—. Intuyo que en su interior se libra una feroz lucha. He visto algunas de las obras que realizó con Fra Giovanni (el hombre que daría en llamarse Fra Angelico), y te aseguro que es brillante. ¿De otro modo por qué iba Cosme a soportar sus escenitas? ¿No oíste las sandeces que dijo?

—¿Y ese Fra Giovanni es un santo? —inquirió mi padre.

—Pues sí. Lo cual me parece perfecto, ¿pero te fijaste en la expresión atormentada de Fra Filippo? Confieso que me gustó.

Mi padre arqueó las cejas.

Durante nuestro próximo y último viaje a Florencia, mi padre me llevó a contemplar todas las pinturas de Filippo. Me asombró el que recordara mi interés por ese pintor. Fuimos de casa en casa para admirar sus magníficas obras, y luego visitamos el taller de Filippo.

Allí contemplamos una pintura (*La coronación de la Virgen*), encargada por Francesco Maringhi para el altar de una iglesia florentina, que estaba ya muy avanzada; al ver esa obra, por poco me desmayo de la impresión y la emoción.

No lograba apartar la vista de ella. Suspiré y lloré.

Jamás había visto nada tan bello como esa pintura, con aquel inmenso grupo de rostros inmóviles y atentos, la espléndida colección de ángeles y santos, las esbeltas y airosas mujeres de aire felino y unos hombres espigados y celestiales. Me enloqueció.

Mi padre me llevó a ver otras dos obras de Filippo, ambas inspiradas en la Anunciación.

Como ya he apuntado, de niño yo había hecho el papel del ángel Gabriel que se aparecía a la Virgen para anunciarle que llevaba en su vientre a Jesús. Según la versión que nosotros representábamos, Gabriel era un ángel muy seductor y viril, y al regresar a casa José se encontraba a este ser increíblemente atractivo con su pura e inocente esposa, la Virgen María.

Éramos una pandilla de jóvenes muy atrevidos, y decidimos dar a la obra cierto tono picante. Me refiero a que la aderezamos un poco. No creo que las Sagradas Escrituras mencionen que san José sorprendió a su esposa retozando con un ángel.

Ése era mi papel favorito, y me fascinaban los cuadros de la Anunciación.

Pues bien, ésta que contemplé poco antes de abandonar Florencia, pintada por Filippo en la década de 1440, era superior a todo cuando yo había visto nunca.

El ángel era sublime pero físicamente perfecto. Sus alas se componían de plumas de pavo real.

Esa pintura no sólo me enloquecía, sino que despertaba en mí una enfermiza devoción. Habría dado cualquier cosa para adquirirlo y colgarlo en nuestro castillo. Pero era imposible. En aquella época no había obras de Filippo en el mercado. Por fin, tras no pocos esfuerzos mi padre logró arrancarme de allí y al cabo de unos días regresamos a casa.

Más tarde recordé el gran respeto con que mi padre me había escuchado mientras le hablaba entusiasmado de Fra Filippo:

—Es delicado, original y sin embargo encaja en los cánones actuales. Es un pintor genial, distinto de todos, pero no excesivo; inimitable, pero accesible para cualquiera. Te aseguro que es extraordinario, padre. —No había forma de detener mi perorata—. Eso es lo que opino sobre ese hombre. Me impresiona la faceta carnal de su personalidad, su pasión por las mujeres; su feroz rechazo a mantener sus votos está en continua pugna con el sacerdote que lleva dentro, pues luce el hábito de clérigo y se hace llamar Fra Filippo. Y de esa pugna brotan los rostros de total rendición que él pinta.

Mi padre me escuchaba con atención.

—Esos personajes reflejan su constante compromiso con las fuerzas que no logra reconciliar —dije—; unos personajes tristes, sabios, nunca inocentes, siempre dulces, pensativos, silenciosos y atormentados.

De regreso a casa, mientras cabalgábamos a través del bosque por un camino empinado, me preguntó como de pasada si los pintores que habían decorado nuestra capilla eran buenos.

—Debes de estar bromeando, padre —repuse—. Son excelentes.

—No lo sabía, te lo aseguro —afirmó él sonriendo, y añadió al tiempo que se encogía de hombros—: Contraté a los mejores.

Yo sonreí.

Entonces lanzó una carcajada de gozo. No le pregunté cuándo podía marcharme de nuevo para estudiar. Supongo que me creía capacitado para complacerle a él y al mismo tiempo ser yo feliz.

Hicimos unas veinticinco paradas durante ese último viaje. Nos invitaron a comer y a cenar en un castillo tras otro, visitamos numerosas villas modernas, suntuosas y llenas de luz, y recorrimos multitud de frondosos jardines. Nada de ello me impresionó, pues formaba parte de mi vida: los cenadores cubiertos de glicina color púrpura, los viñedos que se extendían sobre las verdes laderas, las muchachas de dulces mejillas que, ocultas en los pórticos, me indicaban que me acercara.

Florencia se hallaba en guerra el año en que mi padre y yo emprendimos ese viaje. Se había aliado con el poderoso y célebre Francesco Sforza, para apoderarse de Milán. Las ciudades de Nápoles y Venecia respaldaban a Milán. Fue una guerra terrible. Pero a nosotros no nos afectó.

La contienda se libró en otros lugares y por mercenarios, y el odio que provocó resonaba en las calles de la ciudad, no en nuestra montaña.

Lo que recuerdo de ella son dos insólitos personajes que estaban implicados en la batalla. El primero era el duque de Milán, Filippo Maria Visconti, un hombre que era enemigo nuestro quisiéramos o no, pues era enemigo de Florencia.

Pero permita el lector que le explique cómo era ese hombre: grotescamente obeso, según decían, y sucio por naturaleza; a veces se quitaba la ropa y se revolcaba desnudo sobre la tierra de su jardín. El mero hecho de ver una espada le infundía terror, y si estaba desenfundada se ponía a gritar como un poseso. También le horrorizaba que pintaran su retrato, debido a lo feo que era. Pero esto no es todo. Tenía unas piernas tan enclenques que apenas le sostenían, de modo que sus pajes lo transportaban de un lado a otro. Con todo, poseía cierto sentido del humor. Para asustar a la gente se sacaba de pronto una serpiente de la manga. Una delicia, ¿no es cierto?

No obstante ese hombre gobernó el ducado de Milán durante treinta y cinco años, y su propio mercenario, Francesco Sforza, se volvió contra Milán en esa guerra.

Deseo describir brevemente a este último porque se trataba de un personaje pintoresco, aunque muy distinto del otro. Era el apuesto y valiente hijo de un campesino que, tras sufrir un secuestro de niño, logró convertirse en el cabecilla de la banda de canallas que lo había secuestrado. Francesco pasó a ser el comandante de la tropa cuando el héroe campesino se ahogó en un arroyo mientras intentaba salvar a un paje. ¡Qué valor! ¡Qué pureza! ¡Qué dechado de virtudes!

No vi a Francesco Sforza hasta después de morir para el mundo terrenal y convertirme en un vampiro, pero debo decir que se ajustaba a las descripciones que había oído de él. Era un hombre de heroicas proporciones y estilo, y por increíble que parezca, fue a este bastardo de un campesino y soldado nato que el duque de Milán, ese loco de patas enclenques, cedió su hija en matrimonio. La hija, por cierto, no la había tenido con su esposa, una desdichada a quien mantenía encerrada bajo llave, sino con su amante.

Ese matrimonio fue lo que precipitó la guerra. En primer lugar Francesco luchó valerosamente para el duque Filippo Maria, pero cuando el estrafalario e imprevisible duque la palmó, su yerno, el apuesto Francesco, que tenía subyugado a todo el mundo en Italia, desde el Papa hasta Cosme, quiso convertirse en duque de Milán.

Le aseguro al lector que es cierto. ¿No resulta interesante? Pueden consultarse esos datos en un libro de Historia. He omitido que al duque Filippo Maria también le aterrorizaban los truenos y había mandado construir una estancia insonorizada en su palacio.

Pero hay más. Sforza se vio obligado a salvar Milán de otros que deseaban apoderarse de la ciudad, y Cosme tuvo que respaldarlo para evitar que Francia cayera sobre nosotros, o algo peor.

Era una situación bastante divertida y, como he dicho, de joven yo estaba preparado para ir a la guerra o comparecer ante un tribunal en caso necesario, pero esas guerras y esos dos personajes existían para mí sólo en las charlas a la hora de la cena, y cada vez que alguien despotricaba contra el estrafalario duque Filippo Maria y criticaba su estúpida manía de sacarse una serpiente de la manga, mi padre me guiñaba el ojo y susurraba en mi oído:

—No hay nada como la sangre pura de la aristocracia, hijo mío. —Tras lo cual se echaba a reír.

En cuanto al romántico y bravo Francesco Sforza, mi padre se guardó prudentemente su opinión mientras ese hombre peleaba en el bando de nuestro enemigo, el duque, pero cuando todos nos volvimos contra Milán se apresuró a ensalzar al valeroso Francesco, un hombre que se había forjado a sí mismo, y a su arrojado y rústico progenitor.

Antiguamente existió otro gran lunático que andaba por Italia, un pirata y rufián llamado sir John Hawkwood, dispuesto a conducir a sus mercenarios contra quien fuera, incluidos los florentinos.

Pero acabó leal a Florencia, incluso se hizo ciudadano de la misma, y cuando desapareció de este mundo los florentinos le erigieron un espléndido monumento en la catedral. ¡Ah, qué tiempos aquellos!

Creo que era una excelente época para ser soldado, pues podías elegir el campo de batalla donde preferías pelear y entusiasmarte con esas historias de guerra.

También era una buena época para leer poesía, admirar pinturas y llevar una vida confortable y segura detrás de los muros ancestrales, o pasear por las bulliciosas calles de las prósperas ciudades. Si habías recibido una buena educación, podías hacer lo que desearas.

Pero también era una época en que convenía ser cauto. Esas guerras podían conducir a los señores feudales como mi padre al desastre. Las regiones montañosas que hasta entonces se mantuvieron libres, eran invadidas y destruidas. De vez en cuando un pobre desgraciado que había logrado mantenerse al margen de esas trifulcas se encontraba enfrentado a Florencia, y de pronto aparecían las feroces huestes mercenarias para poner las cosas en su sitio.

A propósito, Sforza ganó la guerra contra Milán debido en parte a que Cosme le prestó el dinero necesario. A continuación se desencadenó un auténtico caos.

Podría seguir describiendo eternamente esta maravillosa Toscana.

Me resulta angustioso y deprimente tratar de imaginar qué habría sido de mi familia de no haberse abatido sobre nosotros la tragedia. No imagino a mi padre anciano, ni a mí mismo envejecido y pugnando por sobrevivir, ni a mi hermana casada con un aristócrata florentino en lugar de un rico terrateniente, tal como deseaba yo.

Para mí constituye un horror y una alegría que existan pueblecitos y aldeas en estas montañas que jamás han desaparecido, que han sobrevivido a los peores avatares, incluidas las guerras modernas, y han logrado medrar con sus callejuelas adoquinadas, sus mercados y sus macetas de geranios en las ventanas. Han sobrevivido castillos por doquier gracias a la vida que les han infundido numerosas generaciones.

Ha oscurecido.

He aquí a Vittorio escribiendo a luz de las estrellas.

La capilla del castillo está invadida por zarzas y otras malezas; las pinturas ya no son visibles para nadie y las reliquias sagradas del altar consagrado se hallan sepultadas bajo un montón de polvo.

Pero esas espinas protegen los restos de mi hogar. He dejado que crecieran. He dejado que los caminos desaparecieran en el bosque, o los he destruido yo mismo. ¡Debo conservar una parte de lo que existió! ¡Es preciso!

Me acuso de irme de nuevo por la tangente.

Este capítulo ya debería haber concluido.

Me recuerda las obras que solíamos representar en casa de mi tío, o las que contemplé ante el Duomo en la Florencia de Cosme. Necesito un telón de fondo, unos decorados pintados con todo detalle, unos alambres que sostengan a los personajes que vuelan y unos trajes cortados y listos antes de que coloque a mis actores sobre el escenario para que narren esta fábula.

No puedo remediarlo. Permita el lector que concluya mi ensayo sobre la esplendorosa década de 1400 afirmando lo que el gran alquimista Ficino diría al cabo de unos años: fue «una época dorada».

Pasemos ahora al momento trágico.

3

Donde el horror se abate sobre nosotros

El principio del fin ocurrió la primavera siguiente. Hacía pocos días había sido mi decimosexto cumpleaños, que ese año cayó en el martes anterior a Cuaresma, cuando mi familia y todas las aldeas celebrábamos Carnaval. Ese año se había adelantado, por lo que hacía bastante frío, pero era una época festiva.

La noche previa al Miércoles de Ceniza tuve el terrorífico sueño en el que me vi sosteniendo las cabezas cortadas de mi hermano y mi hermana. Me desperté empapado en sudor, horrorizado por esa visión. Lo escribí en mi libro de sueños. Y luego lo olvidé. Sufría pesadillas con frecuencia, aunque ninguna tan espantosa como la que acabo de describir. Pero cuando relataba mis ocasionales pesadillas a mi madre, mi padre u otra persona, siempre decían:

—Tú tienes la culpa, Vittorio, por leer los libros que lees. Esos sueños los provocas tú mismo.

Repito, olvidé el sueño.

En Pascua los campos se hallaban en flor y el primer indicio de la tragedia que se avecinaba, aunque no yo no lo reconocí, fue que las aldeas situadas al pie de nuestra montaña quedaron súbitamente desiertas.

Mi padre y yo, acompañados por dos cazadores, un guardabosque y un soldado, nos dirigimos a caballo para comprobar en persona que los campesinos habían abandonado la zona hacía unos días, llevándose consigo a los animales.

Producía una curiosa sensación ver esas pequeñas e insignificantes aldeas desiertas.

Ascendimos de nuevo la montaña, rodeados por una cálida y acogedora oscuridad, pero comprobamos que las otras aldeas por las que pasamos aparecían cerradas a cal y canto, sin que se filtrara un rayo de luz por los postigos ni brotara por una chimenea una nubecilla de humo teñido de rojo.

Por supuesto, el anciano administrador de mi padre comenzó a despotricar contra los vasallos que habían abandonado las aldeas, insistiendo en que era preciso dar con ellos, propinarles una buena tunda y obligarlos a arar los campos.

Mi padre, benevolente y sin perder la calma, como era habitual en él, permaneció sentado ante su escritorio a la luz de las velas, apoyado sobre un codo, y replicó que esos hombres eran libres; no estaban obligados a vivir en nuestra montaña si no lo deseaban. Ésas eran las costumbres del mundo moderno, aunque mi padre sabía lo que iba a ocurrir en nuestra región.

De pronto se percató de que yo le observaba desde un rincón de la estancia, como si no hubiera reparado antes en mi presencia, y se apresuró a interrumpir la conversación con su administrador y a despachar el asunto como un problema insignificante.

Yo tampoco le di importancia.

Pero durante los días sucesivos, algunos aldeanos que habitaban en la parte inferior de las laderas vinieron a instalarse dentro del recinto del castillo. Se produjeron numerosas conferencias en los aposentos de mi padre. Oí discusiones a puerta cerrada, y una noche, a la hora de cenar, todos aparecían insólitamente taciturnos por tratarse de nuestra familia, hasta que mi padre se levantó de su enorme silla, el amo y señor siempre en el centro de la mesa, y declaró como si alguien le hubiera acusado en silencio:

—No perseguiré a unas ancianas porque hayan clavado unos alfileres en unas muñecas de cera, quemen incienso o lean unos ridículos conjuros que no significan nada. Esas viejas brujas han vivido siempre en nuestra montaña.

Mi madre, que parecía muy preocupada, nos ordenó a los tres, a Bartola, a Matteo y a mí —haciendo caso omiso de mis protestas—, que nos levantáramos de la mesa y fuéramos a acostarnos.

—No te quedes leyendo hasta las tantas, Vittorio —dijo mi madre.

—¿A qué se refería padre? —preguntó Bartola.

—A las viejas brujas de la aldea —contesté, empleando la palabra italiana *strega*—. De vez en cuando una de ellas se extralimita y se organiza un lío, pero por lo general no hacen sino utilizar sus sortilegios para curar una fiebre u otra dolencia.

Supuse que mi madre me ordenaría que me callara, pero permaneció al pie de la angosta escalera de piedra de la torre mientras me observaba con expresión de alivio, y dijo:

—Así es, Vittorio, tienes razón. En Florencia la gente se burla de esas viejas. Vosotros mismos conocéis a Gattena, que lo único que hace es vender unos bebedizos de amor a las jóvenes aldeanas.

—¡No vamos a llevarla ante los tribunales para que la juzguen! —protesté, satisfecho de haber captado la atención de mi madre.

Bartola y Matteo me contemplaron fascinados.

—No, no, no vamos a hacer eso con Gattena. Gattena se ha esfumado. Ha huido.

—¿Que Gattena ha huido? —pregunté.

Cuando mi madre se volvió, negándose a añadir otra palabra e indicándome con un gesto que acompañara a mis hermanos a la cama, advertí la gravedad del asunto.

Gattena era la más temida y más cómica de las viejas brujas que habitaban en la aldea, y si había huido, si estaba asustada por algo, no dejaba de ser una noticia insólita, pues sabía que todos la temían a ella.

Los días siguientes amanecieron frescos, hermosos y serenos para Bartola, Matteo y para mí, pero al volver la vista atrás recuerdo que en aquella época ocurrieron varias cosas insólitas.

Una tarde subí hasta la ventana superior de la vieja torre, donde Tori, un vigía, se hallaba adormilado, y contemplé nuestras tierras hasta donde abarcaba la vista.

—No lo verás —comentó Tori.

—¿A qué te refieres? —pregunté.

—El humo de una chimenea. No queda nadie. —Tori bostezó y se apoyó en la pared; iba enfundado en un grueso jubón de cuero hervido y portaba una pesada espada—. No ocurre nada de particular —dijo bostezando de nuevo—. Si les atrae la vida en la ciudad, o luchar para Francesco Sforza por el ducado de Milán, que se vayan. Ya se darán cuenta de su error.

Yo me volví y contemplé de nuevo el bosque y los valles que se extendían hasta el infinito; luego alcé la vista al cielo cubierto por una leve bruma. Era cierto, la vida en las pequeñas aldeas parecía haberse detenido en el tiempo. ¿Pero quién podía tener la certeza de ello? El día estaba un poco nublado. Por otra parte, entre los muros del castillo reinaba una calma absoluta.

Mi padre obtenía aceite de oliva, verduras, leche, manteca y numerosos artículos de esas aldeas, pero no las necesitaba. Si había llegado el momento de que éstas desaparecieran, ese hecho no tenía por qué afectarnos.

Al cabo de dos noches, sin embargo, cuando nos sentamos a cenar observé con innegable claridad que todos se mostraban tensos, a la par que silenciosos. Mi madre estaba muy nerviosa, encerrada en un persistente mutismo en lugar de charlar por los codos comentando las últimas novedades de la corte, como solía hacer. La conversación no era imposible, pero había tomado otro cariz.

Aparte de los ancianos, que parecían profunda y extrañamente desconcertados, otras personas se mostraban ajenas a la situación: los pajes, que nos servían sin dejar de sonreír, y un reducido grupo de músicos, que habían llegado la víspera, y nos ofrecieron unas hermosas canciones acompañándose con la viola y el laúd.

No obstante, no logramos convencer a mi madre para que ejecutara sus ponderosas danzas.

Era ya muy tarde cuando un sirviente anunció una visita inesperada. Nadie había abandonado el salón principal, excepto Bartola y Matteo, a quienes yo había acompañado a acostarse hacía un rato, dejándolos al cuidado de nuestra vieja nodriza, Simonetta.

El capitán de la guardia de mi padre entró en el salón, saludó con un golpe de talones, se inclinó ante mi padre y dijo:

—Señor, en el portal aguarda un caballero de alto rango que se niega a ser recibido bajo la luz del interior de la casa. Exige que salgáis a hablar con él.

Todos los que estábamos sentados a la mesa nos miramos extrañados; mi madre palideció de ira e indignación.

Nadie se atrevía jamás a pronunciar el término «exigir» ante mi padre.

Reparé también en que el capitán de la guardia, un viejo soldado algo prepotente que había participado en numerosas batallas con los mercenarios, parecía nervioso y preocupado.

Mi padre se levantó, pero no pronunció palabra ni se movió.

—¿Saldréis a hablar con él, señor, o le digo a ese *signore* que se vaya? —preguntó el capitán.

—Dile que estaré encantado de recibirle en mi casa como un huésped —respondió mi padre—, que le ofrecemos en nombre de Jesucristo Nuestro Señor nuestra hospitalidad sin reservas.

La voz de mi padre tranquilizó a todos los que estábamos sentados a la mesa, salvo mi madre, que parecía no saber qué hacer.

El capitán miró a mi padre casi a hurtadillas, para transmitirle en secreto el mensaje de que no lograría su propósito, pero fue a comunicar la invitación al extraño.

Mi padre no se sentó. Permaneció de pie, con la cabeza ladeada, como tratando de oír lo que decían el capitán y el inesperado visitante. Luego se volvió y chascó los dedos para atraer la atención de los dos guardias medio dormidos que se mantenían apostados en ambos extremos del salón.

—Registrad la casa para comprobar que todo está en orden —dijo con suavidad—. Me parece haber oído entrar a unos pájaros atraídos por el aire tibio. Hay muchas ventanas abiertas.

Los dos guardias obedecieron, y de inmediato los sustituyeron otros dos soldados. Ese hecho no tenía nada de particular, pues significaba que había varios guardias de servicio.

El capitán regresó solo, y se inclinó de nuevo ante mi padre.

—Señor, el forastero se niega a entrar en la casa y que veáis su rostro a la luz, según dice, e insiste en que salgáis a hablar con él. Os ruega que no le hagáis perder el tiempo.

Fue la primera vez que vi a mi padre furioso. Incluso cuando me azotaba a mí o a un paje, lo hacía con cierta indolencia. Pero en esta ocasión los rasgos de su rostro, los cuales transmitían una sensación tranquilizadora debido a sus proporciones, aparecían contraídos en un rictus de ira.

—¿Cómo se atreve? —murmuró.

No obstante, rodeó la mesa y salió del salón, seguido por el capitán de la guardia.

Me levanté a toda prisa para seguir a mi padre, pero mi madre me contuvo.

—No te muevas, Vittorio.

Pero bajé la escalera detrás de mi padre y salí al patio. En éstas mi padre se volvió y me detuvo apoyando con firmeza una mano en mi pecho.

—Quédate aquí, hijo mío —dijo con su habitual tono afable—. Yo me ocuparé del asunto.

Desde la puerta de la torre contemplé la escena. Al otro lado del patio, junto al portal iluminado por las antorchas, vi al extraño *signore* que se negaba a mostrarse a la luz de las velas del salón, pero a quien no parecía incomodarle el resplandor exterior.

El gigantesco portal en arco de la entrada permanecía cerrado a cal y canto durante la noche. Sólo estaba abierta una pequeña puerta del tamaño de un hombre, y allí era donde aguardaba el extraño, iluminado por las antorchas que ardían a ambos costados de él, sin tratar de ocultar su rostro, sino mostrándose ufano envuelto en una capa de terciopelo color burdeos.

Iba vestido de pies a cabeza en ese color rojo oscuro, que no estaba de moda, pero cada detalle de su vestimenta, desde el justillo recamado con gemas hasta las amplias mangas de raso con franjas de terciopelo, eran del mismo color, como si todas sus prendas las hubieran teñido los mejores bataneros de Florencia.

Hasta las piedras preciosas cosidas en el cuello de la chaquetilla y las que adornaban la recia cadena de oro que pendía de su cuello eran de color vino; supuse que se trataba de rubíes o quizá zafiros.

Tenía el pelo negro y espeso, largo hasta los hombros, pero no pude ver su rostro, pues se hallaba oculto por el sombrero de terciopelo que lucía. Sin embargo logré vislumbrar su pálida piel, la silueta del maxilar y un fragmento del cuello, que era lo único visible. El extraño portaba una espada de inmensas dimensiones, enfundada en una vaina antigua, y una capa drapeada sobre un hombro, también de terciopelo color burdeos, orlada con unos símbolos dorados que no vi con claridad debido a la distancia que nos separaba.

Entorné los ojos, tratando de ver con mayor nitidez, y creí distinguir los adornos de una estrella y una media luna, pero estaba demasiado lejos.

El forastero tenía una estatura imponente.

Mi padre se detuvo a pocos pasos de él, y cuando habló lo hizo con voz tan suave que apenas le oí. El misterioso individuo, que seguía sin mostrar sus facciones salvo los labios, curvados hacia arriba en una sonrisa, y su blanca dentadura, emitió una respuesta que sonaba a un tiempo áspera y encantadora.

—¡Alejaos de mi casa en nombre de Dios Nuestro Bendito Redentor! —exclamó mi padre de pronto.

Acto seguido, con un gesto rápido, avanzó unos pasos y propinó un empujón al extraño, arrojándole del recinto.

Yo me quedé pasmado.

A través de la boca sin fondo de la oscuridad que se extendía más allá del portal brotó una risa grave y aterciopelada, una carcajada burlona, a la que hicieron eco otras, y en esto percibí el fragor de unos cascos, como si varios jinetes emprendieran juntos la retirada.

Mi padre cerró la puerta de un golpe. Luego se volvió, se santiguó y juntó las manos como en una oración.

—¡Por todos lo santos, qué atrevimiento! —exclamó, alzando la vista.

En aquel momento, cuando mi padre echó a andar, furioso, hacia la torre, donde me encontraba yo, me percaté de que el capitán de la guardia estaba paralizado de terror.

Cuando mi padre se aproximó y vi su rostro a la luz que emanaba de la de la escalera de la torre, hice una señal al capitán.

—Cierra mi casa a cal y canto —le ordenó mi padre—. Regístrala de cabo a rabo y cierra todas las puertas y ventanas. Reúne a los soldados y enciende todas las antorchas. ¿Me has entendido? Quiero a unos hombres apostados en cada torre y sobre las murallas. Obedece en el acto. Eso tranquilizará a mi familia.

No habíamos alcanzado el comedor cuando de pronto apareció un anciano sacerdote que en aquellos días se alojaba en casa, un instruido dominico llamado Fra Diamonte. Tenía el pelo alborotado y la sotana medio desabrochada. En la mano sostenía un devocionario.

—¿Qué ocurre, señor? —inquirió el fraile—. ¿Ha sucedido algo malo?

—Padre, confiad en Dios y venid a rezar conmigo en la capilla —respondió mi padre. Luego señaló a otro guardia que se dirigía hacia ellos y le ordenó—: Enciende todas las velas de la capilla, pues deseo rezar. Hazlo enseguida, y di a los chicos que bajen y toquen para mí música sagrada. —A continuación nos tomó de la mano al sacerdote y a mí y añadió—: No es nada grave, os lo aseguro. Se trata de unas supersticiones absurdas, pero cualquier excusa que haga que un hombre de mundo como yo acuda a su Dios para serenarse es válida. Vittorio, y vos también, Fra Diamonte, acompañadme a rezar en la capilla. Sonríe, hijo mío, hazlo por tu madre.

Yo me sentía más tranquilo, pero la perspectiva de permanecer despierto toda la noche en la capilla iluminada por las velas resultaba a un tiempo atrayente y alarmante.

Fui en busca de mi libro de oraciones, mi misal y otros devocionarios, unos tomos confeccionados con el más fino pergamino de Florencia, con las letras doradas y unas ilustraciones exquisitas.

Al salir de mi habitación vi que mi padre hablaba con mi madre:

—No dejes a los niños solos ni un instante —le dijo—; y no quiero verte en ese estado, no soporto verte disgustada.

Mi madre se tocó el vientre.

Comprendí que se hallaba encinta de nuevo. También comprendí que mi padre estaba muy preocupado. «No dejes a los niños solos ni un instante.» ¿Qué significaba esa frase?

La capilla era bastante confortable. Hacía tiempo mi padre había mandado instalar unos cómodos reclinatorios de madera con cojines de terciopelo, aunque en los días festivos todos permanecíamos de pie. En aquella época no existían los bancos que se utilizan hoy en las iglesias.

Aquella noche mi padre me mostró también la cripta que estaba situada debajo de la iglesia. Se abría mediante una anilla sujeta a una trampa revestida de piedra; una vez cerrada la trampa, la anilla quedaba plana debajo de lo que parecía ser uno de los múltiples adornos de mármol incrustados en las baldosas del suelo.

Yo conocía esa cripta, pero había recibido unos azotes de niño por bajar a escondidas allí. Mi padre me dijo entonces que se sentía muy decepcionado al comprobar que yo era incapaz de guardar un secreto de la familia.

Esa regañina me dolió más que los azotes. Yo no le había vuelto a pedir que me dejara ir con él a la cripta, aunque sabía que él bajaba de vez en cuando a aquel misterioso lugar, donde supuse que guardaba un tesoro y los secretos de los paganos.

Pues bien, ahora comprobé que se trataba de una habitación inmensa, excavada en la tierra, con el techo abovedado y repleta de diversos tesoros. Contenía numerosas arcas y pilas de libros antiguos. Y dos puertas cerradas con candado.

—Esas puertas conducen a unas cámaras mortuorias que no es preciso que te muestre —dijo—, pero deseo que te familiarices con el interior de la cripta. Y que recuerdes todos los detalles.

Cuando nos encontramos de nuevo en la capilla, mi padre cerró la trampa, colocó la anilla en su lugar, la cubrió con la baldosa de mármol y la entrada secreta a la cripta quedó invisible.

Fra Diamonte fingió no haberse percatado de nada. Mi madre se había ido a dormir, al igual que mis hermanos.

Antes del alba todos nos quedamos dormidos en la capilla.

Al amanecer, cuando los gallos se pusieron a cacarear en todas las aldeas situadas dentro de las murallas, mi padre salió al patio, se desperezó, alzó la vista hacia el cielo y se encogió de hombros.

Dos de mis tíos corrieron hacia él, inquiriendo quién era ese misterioso *signore*, de dónde provenía, cómo se había atrevido a proponer que organizaran un asedio contra nosotros y cuándo iba a estallar la batalla.

—No, no, no, estáis confundidos —replicó mi padre—. No vamos a pelear. Regresad a la cama.

Pero no bien hubo dicho esto cuando oímos un grito desgarrador que nos alarmó a todos. A través de la puerta del patio apareció una muchacha, una joven de una aldea cercana por la sentíamos gran afecto, y pronunció estas terribles palabras a voz en cuello:

—¡Ha desaparecido! ¡Se han llevado a mi pequeño!

El resto del día lo pasamos buscando al hijo de la aldeana. Pero fue en vano. Al poco averiguamos que otro niño había desaparecido de la aldea sin dejar rastro. Era un retrasado mental, un niño entrañable e inofensivo, pero que apenas sabía caminar. Todos se avergonzaban de confesar que no sabían cuánto tiempo hacía que el niño faltaba de la aldea.

Al anochecer temí volverme loco si no conseguía hablar con mi padre a solas, si no lograba entrar en la cámara donde se había encerrado con mis tíos y los sacerdotes para vociferar y discutir. Al fin comencé a aporrear la puerta con los puños y a propinarle patadas con tal rabia que mi padre no tuvo más remedio que dejarme entrar.

La reunión estaba a punto de concluir. Mi padre me llevó aparte y me preguntó indignado:

—¿Has visto lo que han hecho? Se han cobrado el tributo que me exigían. ¡Me negué a pagarlo y ellos se lo han cobrado por la fuerza!

—¿Qué tributo? ¿Te refieres a los niños?

Mi padre estaba furioso. Se pasó la mano por la hirsuta

barbilla, descargó un puñetazo sobre la mesa y de un manotazo arrojó al suelo todos los papeles que había sobre ella.

—¿Cómo se atreven a presentarse aquí de noche y exigirme que les entregue a los niños que nadie quiere?

—¿A qué te refieres, padre? ¡Dímelo!

—Vittorio, mañana, al alba, partirás hacia Florencia con unas cartas que escribiré esta noche. Necesito más que a unos sacerdotes campesinos para luchar contra esto. Prepárate para partir.

Luego alzó la vista bruscamente y ladeó la cabeza, como si hubiera percibido un ruido sospechoso. Observé que la luz había desaparecido de las ventanas. Nosotros mismos no éramos sino unas siluetas borrosas. Me agaché para recoger del suelo el candelabro que mi padre había derribado.

Le observé de reojo mientras encendía una de las velas con la antorcha que ardía junto a la puerta. Acto seguido encendí con ella el resto de las velas.

Él permaneció inmóvil, atento. Luego se levantó sin hacer ruido y apoyó los puños sobre la mesa, sin molestarle el resplandor de las velas; la fatiga e indignación que dejaba traslucir su rostro se vieron así realzadas.

—¿Habéis oído algo, señor? —Le llamé de vos sin ni siquiera percatarme de ello.

—El mal —contestó mi padre en voz baja—. Unos seres malignos que Dios permite que vivan debido a nuestros pecados. Ve en busca de unas armas. Trae a tu madre y a tus hermanos a la capilla. Apresúrate. Los soldados ya han recibido mis instrucciones.

—¿Quieres que ordene que nos sirvan aquí algo de comer, un poco de pan y cerveza? —pregunté.

Él asintió con aire distraído.

En menos de una hora estábamos reunidos en la capilla, toda la familia, que en aquel entonces incluía a cinco tíos y cuatro tías, aparte de las dos nodrizas y Fra Diamonte.

El pequeño altar se había dispuesto como si el sacerdote

fuera a decir misa, con un fino mantel bordado y unos candelabros de oro macizo en los que ardían unas velas. La efigie de Jesucristo resplandecía a la luz de las velas, una antigua y delgada talla de madera cuyo colorido se había apagado con el tiempo, que colgaba en la pared desde los tiempos de san Francisco, cuando según la leyenda el gran santo se había detenido en nuestro castillo hacía dos siglos.

Era un Jesucristo desnudo, frecuente en aquellos tiempos, una figura atormentada dispuesta al sacrificio, no robusta y sensual como en los crucifijos actuales. Destacaba poderosamente entre la colección de santos pintados que adornaban los muros de la capilla, ataviados con espléndidos ropajes de color escarlata y adornados con joyas de oro.

Sin decir palabra nos sentamos en unos toscos bancos de madera castaña que nos trajeron, sin decir palabra, pues aquella mañana Fra Diamonte había dicho misa, guardando en el tabernáculo el cuerpo y la sangre de Nuestro Señor en forma de la sagrada hostia, y la capilla se había convertido a todos los efectos, por así decirlo, en la casa de Dios.

Comimos un poco de pan y bebimos unos sorbos de cerveza junto a la puerta de entrada, pero en silencio.

Sólo mi padre salió repetidas veces, dirigiéndose con paso decidido al patio iluminado por las antorchas para cambiar unas palabras con los soldados que se apostaban en las torres y los muros, y subiendo incluso él mismo para comprobar personalmente que el castillo estuviera bien protegido.

Mis tíos estaban bien armados. Mis tías rezaban con devoción el rosario. Fra Diamonte parecía confundido y mi madre, pálida cual un espectro, como si se sintiera indispuesta debido a la criatura que portaba en el vientre, se abrazó a mis hermanos, que estaban muy asustados.

Todo hacía suponer que pasaríamos la noche sin novedad.

Dos horas antes de que despuntara el día me desperté de un sueño ligero al oír un angustioso grito.

Mi padre se levantó en el acto, al igual que mis tíos, quienes desenvainaron sus espadas tan rápidamente como se lo permitieron sus dedos viejos y artríticos.

De pronto sonaron unos gritos, las voces de alarma de los soldados y el estrepitoso tañido de las campanas en todas las torres del castillo.

—Vamos, Vittorio —dijo mi padre al tiempo que me agarraba del brazo. A continuación tiró de la anilla de la trampa, la abrió y me entregó una vela que tomó del altar—. Llévate a tu madre, a tus tías, a tu hermana y a tu hermano a la cripta, ahora mismo, y no os mováis de allí ocurra lo que ocurra. No salgáis de allí. Cierra la trampa y quedaos en la cripta. ¡Haz lo que te ordeno!

Obedecí en el acto. Tomé de la mano a Matteo y a Bartola y les obligué a bajar la escalera detrás de mí.

Mis tíos salieron a toda prisa al patio, lanzando sus viejos gritos de guerra. Mis tías tropezaron, se desmayaron y se agarraron al altar, negándose a salir de allí, y mi madre se abrazó a mi padre.

Mi padre estaba muy alterado. Intenté llevarme de allí a mi tía más anciana, pero yacía desmayada ante el altar. Mi padre se acercó a mí, me obligó a meterme en la cripta y cerró la trampa.

No tuve más remedio que pasar el cerrojo, tal como me había enseñado mi padre; luego, sosteniendo la vela encendida en una mano, me volví hacia Bartola y Matteo, que estaban aterrorizados.

—Vamos, bajad —les ordené.

Los pobres por poco se caen al tratar de descender de espaldas por la estrecha y peligrosa escalera sin apartar la vista de mí.

—¿Qué ocurre, Vittorio? ¿Por qué quieren lastimarnos? —preguntó Bartola.

—Yo lucharé contra ellos —terció Matteo—. Dame tu puñal, Vittorio. Tú tienes una espada. No es justo.

—Callad y obedeced a padre. ¿Creéis que me gusta no poder salir y pelear con los hombres? ¡No hagáis ruido!

Hice un esfuerzo por tragarme las lágrimas. Mi madre y mis tías se habían quedado arriba, en la capilla.

En la cripta reinaba un ambiente frío y húmedo, pero no era desagradable. Estaba empapado en sudor y el brazo me dolía de sostener el pesado candelabro de oro. Por fin mis hermanos y yo nos sentamos en el suelo, en un extremo de la cámara. El tacto frío de la piedra me tranquilizó.

En el intervalo de nuestro silencio colectivo percibí a través del recio suelo unos alaridos, unos gritos atroces de terror pánico, unas pisadas apresuradas e incluso los angustiosos relinchos de los caballos. Daba la sensación de que los caballos hubieran irrumpido en la misma capilla, lo cual no era imposible.

Me levanté y corrí hacia las otras dos puertas de la cripta, las cuales conducían a las cámaras mortuorias o lo que fuera. ¡Qué me importaba a mí cómo diantres se llamaran! Descorrí el cerrojo de una de las puertas, pero sólo vi un pequeño pasadizo; no era lo bastante alto para que pasara yo ni lo bastante ancho para que cupieran mis brazos.

Retrocedí sobre mis pasos, sin soltar la única vela de que disponíamos. Mis hermanos permanecían con los ojos clavados en el techo, aterrorizados, escuchando los lastimeros gritos, que no cesaban.

—Huele a humo —murmuró Bartola, que tenía el rostro bañado en lágrimas—. ¿No lo hueles, Vittorio? Oigo un ruido extraño.

Yo también lo oí y percibí el olor.

—Santiguaos y rezad —dije—. Confiad en mí. No tardaremos en salir de aquí.

Pero el fragor de la batalla era incesante, al igual que los gritos. De improviso, de forma tan impresionante y aterradora como sonara el estrépito de la pelea, se hizo el silencio.

Un silencio absoluto, demasiado total para interpretarlo como una señal de victoria.

Bartola y Matteo se aferraron a mí, uno a cada lado.

En esto se oyó un ruido que provenía del piso superior, como si alguien hubiera abierto de golpe la puerta de la capilla. De pronto se alzó la trampa de la cripta y vi una oscura silueta, alta y esbelta, con una larga mata de pelo, iluminada por el resplandor del fuego que ardía arriba.

Al abrirse la trampa se produjo una ráfaga de aire que apagó la vela que yo sostenía.

Salvo por el infernal destello de las llamas, estábamos sumidos en la más completa y despiadada oscuridad.

De nuevo distinguí la figura de una mujer, alta, de porte majestuoso, con una espléndida y larga cabellera y una cintura tan diminuta que habría podido rodearla con mis manos. La figura descendió por la escalera como si volara, sigilosamente, y se precipitó hacia mí.

¿Quién diantres era esa mujer y qué hacía allí?

Antes de darme tiempo a desenvainar la espada para defenderme de la agresora, o pensar siquiera con claridad, sentí sus suaves senos rozar mi pecho y el tacto fresco de su piel cuando hizo ademán de rodearme el cuello con los brazos.

Se produjeron unos instantes de inexplicable y sensual confusión al percibir el perfume de su cabello y su vestido y tuve la impresión de ver el blanco reluciente de sus ojos cuando la mujer me miró.

En éstas oí gritar a Bartola, y luego a Matteo.

Caí al suelo.

Contemplé el resplandor del fuego que ardía arriba.

La mujer agarró con un brazo en apariencia frágil a Bartola y Matteo, quienes se debatían en un intento de soltarse, y tras detenerse para mirarme se precipitó escaleras arriba y desapareció bajo el resplandor de las llamas.

Yo desenvainé la espada con ambas manos y corrí tras la mujer. Al penetrar en la capilla vi que ella, haciendo uso de unos poderes demoníacos, había logrado alcanzar la puerta, una hazaña prácticamente imposible, mientras mis hermanos no paraban de gritar:

—¡Vittorio, Vittorio!

De todas las ventanas superiores de la capilla surgían llamas, al igual que del rosetón que había sobre el crucifijo.

—¡En el nombre de Dios, detente! —grité—. ¡Cobarde, ladrona!

Corrí tras ella y, ante mi estupor, la mujer se detuvo y se volvió para mirarme de nuevo. Esta vez contemplé cada detalle de su refinada belleza. El rostro era un óvalo perfecto; los ojos, de color gris, reflejaban una mirada benévola y la blanca tez semejaba la más fina laca china. Tenía los labios rojos, demasiado perfectos para que un pintor los dibujara a capricho, y el cabello, largo y rubio ceniza, al cual el resplandor del fuego confería un tono gris semejante al de sus ojos, le caía, espléndido, por la espalda. Su ropa, aunque tenía unas manchas que parecían de sangre, era del mismo color burdeos que la vestimenta del malvado forastero que se había presentado la víspera en nuestra casa.

La mujer se limitó a observarme con una extraña expresión de tristeza. En la mano derecha sostenía la espada en alto, pero no se movió. De improviso relajó su poderoso brazo izquierdo y soltó a mis hermanos.

Ambos cayeron al suelo entre sollozos.

—¡Demonio! ¡*Strega!* —grité.

Entonces salté por encima de Bartola y Matteo y me lancé sobre la mujer blandiendo mi espada.

Pero ella se zafó con tal habilidad y rapidez que ni siquiera me di cuenta. Me parecía increíble que se hubiera alejado tanto en una fracción de segundos. La mujer bajó la espada, me miró, y luego contempló a mis hermanos, que no cesaban de llorar.

De pronto volvió la cabeza. Percibí un grito sibilante, seguido de otro y otro más. A través de la puerta de la capilla apareció, como surgido del mismo fuego del infierno, un individuo que también vestía de rojo y se cubría con una capa de terciopelo provista de una capucha; calzaba unas botas ribeteadas de oro. Alcé la espada dispuesto a atacarlo, pero el extraño me apartó de un empellón y al instante decapitó a Bartola y luego a Matteo, que gritó aterrorizado.

Enloquecí. Bramé de dolor. El extraño hizo ademán de arrojarse sobre mí, pero la mujer lo contuvo con firmeza.

—Déjalo en paz —ordenó con una voz dulce y clara.

Él se alejó. Ese asesino, ese demonio encapuchado y con botas ribeteadas de oro, se volvió hacia ella y exclamó:

—¿Acaso has perdido el juicio? Mira el cielo. ¡Vámonos, Ursula!

Pero ella no se movió. Siguió mirándome de hito en hito.

Entre sollozos e imprecaciones, empuñé mi espada y me arrojé de nuevo sobre la mujer. Esta vez la hoja se abatió sobre su brazo derecho, amputándoselo por debajo del codo. El miembro, blanco, menudo y en apariencia frágil, como el resto del cuerpo, cayó al suelo enlosado junto a la pesada espada de la mujer. De la herida brotó un chorro de sangre.

Ella observó brevemente la herida, y luego me miró con esa conmovedora expresión de tristeza, desconsolada, casi desesperada.

Alcé de nuevo la espada.

¡Strega! —grité entre dientes, intentando ver a través de mis lágrimas—. ¡*Strega*!

Pero en un nuevo alarde de sus poderes demoníacos, la mujer se alejó de mí como impulsada por una fuerza invisible. En su mano izquierda sostenía la derecha, que todavía sujetaba la espada, como si aún estuviera adherida al brazo. A continuación adhirió el miembro que yo le había amputado. La observé. Vi cómo colocaba de nuevo el brazo en su lugar, ajustándolo hasta que quedó encajado a la perfección, y comprobé estupefacto que la herida producida por mi espada había cicatrizado sobre la nívea piel.

Después la manga acampanada del suntuoso vestido de terciopelo cayó de nuevo sobre su brazo, cubriéndolo hasta la muñeca.

La mujer abandonó la capilla en un abrir y cerrar de ojos. Vi su silueta recortada sobre los lejanos fuegos que ardían en las ventanas de las torres. La oí murmurar:

—Vittorio.

Luego se desvaneció.

Comprendí que era inútil perseguirla. Pero salí a la carrera de la capilla, blandiendo mi espada, gritando de rabia y amargura y profiriendo amenazas contra el mundo entero, cegado por las lágrimas y sintiendo una opresión en la garganta que casi me impedía respirar.

Todo se hallaba en silencio. Todos estaban muertos. Muertos. Estaba convencido de ello. El patio aparecía sembrado de cadáveres.

Entré de nuevo en la capilla. Recogí la cabeza de Bartola y la de Matteo, me senté con ellas sobre mis rodillas, y rompí a llorar.

Las cabezas cortadas de mis hermanos parecían vivas: los ojos relucían y los labios se movían en un vano intento de hablar. ¡Dios mío! Era un tormento superior a lo que un ser humano es capaz de soportar. Sollocé.

Maldije.

Coloqué las cabezas de mis hermanos una junto a la otra, sobre mis rodillas, y les acaricié el pelo y las mejillas al tiempo que susurraba unas palabras de consuelo, asegurándoles que Dios se hallaba junto a nosotros, que no nos abandonaba, que Dios cuidaría siempre de nosotros, que nos encontrábamos en el cielo. «¡Te lo imploro, Señor! —oré con toda mi alma—. No permitas que sientan, que permanezcan conscientes. ¡Eso no! No lo resisto. No. ¡Te lo suplico!»

Por fin, al alba, cuando el sol penetró a raudales por la puerta de la capilla, cuando los fuegos se apagaron; cuando los pájaros comenzaron a cantar como si nada hubiera ocurrido, las pequeñas e inocentes cabezas de Bartola y Matteo quedaron inertes, inmóviles, sin duda muertas, y sus almas inmortales abandonaron los cuerpos, como si no lo hubieran hecho en el momento en que la espada separó las cabezas de los troncos.

Hallé a mi madre asesinada en el patio. Mi padre, cubierto de heridas en las manos y los brazos, como si hubiera aferrado las espadas que lo habían abatido, yacía muerto en la escalera de la torre.

La operación se había desarrollado con rapidez. Gargantas sajadas, y algunas pruebas, como en el caso de mi padre, de la feroz resistencia que opusieron las víctimas.

No habían robado nada. Mis tías, dos de las cuales yacían muertas en un rincón de la capilla, y las otras dos en el patio, lucían todas sus sortijas y collares y diademas en el pelo.

No habían arrancado ni uno solo de los botones hechos con piedras preciosas.

Todo el recinto ofrecía el mismo panorama.

Los caballos habían desaparecido, el ganado se había refugiado en el bosque, los pollos habían volado. Abrí el pequeño cobertizo donde guardaba mis halcones de caza, les quité la capucha y dejé que volaran hacia el bosque.

No había nadie que me ayudara a enterrar a los muertos.

Antes del mediodía, arrastré a todos los miembros de mi familia, uno por uno, hasta la cripta, los arrojé sin miramientos por la escalera y coloqué sus cadáveres uno junto a otro.

Fue una tarea agotadora. Me sentía tan débil que por poco pierdo el conocimiento mientras disponía los cuerpos de cada persona, mi padre el último.

Era imposible que yo enterrara a todas las personas que habían muerto en el recinto del castillo. Por otra parte, lo que había sucedido en las últimas horas podía volver a ocurrir, pues yo seguía vivo y había un demonio que lo sabía, un salvaje asesino encapuchado que había matado a dos niños sin piedad alguna.

Yo ignoraba la naturaleza de aquel ángel exterminador, esa exquisita Ursula, con sus mejillas levemente sonrosadas, su largo cuello y los hombros bien torneados. Cabía la posibilidad de que regresara para vengarse de la ofensa que yo le había inferido.

Debía abandonar la montaña.

Intuí que esos seres no se hallaban presentes. Lo presentí en mi corazón y debido a la pureza del sol cálido y amable, pero también porque había presenciado su huida; les había oído comunicarse entre ellos por medio de silbidos y había oído al demonio varón exhortar a la mujer, Ursula, a alejarse con premura.

No, eran criaturas de la noche.

De modo que tenía tiempo de subir a la torre más alta y escrutar el terreno que rodeaba el castillo.

Y eso hice. Comprobé que nadie pudo ver el humo que surgía de nuestros suelos de madera en llamas y nuestros muebles abrasados. El castillo más próximo estaba en ruinas, como ya he dicho. Las aldeas que se hallaban más abajo estaban desiertas desde hacía mucho.

La población importante más cercana distaba una jornada de camino a pie, y yo debía partir de inmediato si quería llegar a un lugar donde ocultarme al anochecer.

Mil pensamientos me atormentaban. Yo sabía demasiadas cosas. Era un muchacho; no podía hacerme pasar por un hombre hecho y derecho. Tenía depositada una fortuna en los bancos florentinos pero éstos se hallaban a una semana de viaje a caballo. Esos seres eran demonios. Pero habían penetrado en una iglesia. Habían asesinado a Fra Diamonte.

Sólo pensaba en una cosa.

En vengarme. Conseguiría atraparlos. Daría con ellos y los atraparía. Y si ellos no podían mostrarse a la luz del día, ésa sería la forma en que los capturaría. Juré hacerlo. Por Bartola, por Matteo, por mi padre y mi madre, por el niño más humilde que esos seres habían raptado de mi montaña.

Se habían llevado a los niños. Sí, habían sido ellos. Lo comprobé antes de partir, pues debido a los muchos problemas que me preocupaban tardé unos minutos en comprenderlo, pero no cabía duda de que habían sido ellos. No vi un solo cadáver de niño, sólo habían asesinado a chicos de mi edad; a los más jóvenes se los habían llevado.

¿Para qué? ¿Con qué horrendo propósito? Yo estaba fuera de mí.

Permanecí un buen rato ensimismado frente a la ventana de la torre, con los puños crispados y jurando vengarme de ellos, cuando de pronto vi algo que me arrancó de mis sombrías reflexiones. En el valle cercano al castillo vi a tres de mis caballos vagando sin rumbo, como deseando que alguien los condujera de regreso a casa.

Al menos podía montar uno de mis mejores corceles, pero no había tiempo que perder. Con un caballo quizás alcanzara la población al anochecer. Yo no conocía el terreno al norte. Era una región montañosa, pero había oído decir que no lejos de aquí había una población bastante grande. Tenía que alcanzarla, para refugiarme en ella, para pensar y consultar con un sacerdote sensato que conociera todo lo relativo a los demonios.

Mi última tarea me resultó tan ignominiosa como repulsiva, pero no dejé de llevarla a cabo. Reuní todos los tesoros que podía transportar.

En primer lugar me dirigí a mi habitación, como si se tratara de un día cualquiera, me vestí con mi mejor traje de cazador de seda y terciopelo verde, calcé unas botas de caña alta y tomé mis guantes. Después de coger las alforjas de cuero que podía asegurar a la silla de montar, bajé a la cripta y despojé a mis padres, mis tías y mis tíos de las sortijas, collares y broches que habían atesorado, así como de las hebillas de oro y plata procedentes de Tierra Santa. Rogué a Dios que me perdonara por el sacrilegio.

A continuación llené mi talego con todos los ducados y

florines de oro que hallé en los cofres de mi padre, como si fuera un ladrón, un saqueador de cadáveres. Tras echarme las pesadas alforjas al hombro, fui en busca de mi montura, le coloqué la silla y las bridas y me dispuse a partir, debidamente armado y ataviado como un hombre de rango, con una capa ribeteada de visón y un gorro florentino de terciopelo verde, en dirección al bosque.

4

Donde tropiezo con otros misterios, soy víctima de una seducción y condeno mi alma a un amargo valor

Yo estaba demasiado lleno de rencor para pensar con sensatez, como ya he explicado y sin duda comprenderá el lector. Pero fue una imprudencia por mi parte cabalgar a través de los bosques de Toscana ataviado como un noble acaudalado, y solo, pues los bosques en Italia estaban infestados de bandidos.

Por otra parte, el hacerme pasar por un hombre de letras pobre tampoco habría sido atinado.

Lo cierto es que no tomé una decisión meditada. Mi única obsesión era vengarme de los demonios que nos habían destruido.

Así pues, a media tarde partí a caballo, procurando ceñirme a los caminos del valle mientras me alejaba de nuestras torres, intentando no gimotear como un niño, pero viéndome obligado una y otra vez a adentrarme en el terreno montañoso.

Me sentía confuso. Y el paisaje no me daba opción a ordenar mis pensamientos.

Jamás había contemplado un paraje tan desolado.

Al cabo de poco llegué a dos gigantescos castillos en ruinas, cuyas albardillas y bastiones habían sido engullidos por el codicioso bosque, lo cual me hizo pensar que esas fortalezas debían de haber pertenecido a unos señores feudales que habían cometido la torpeza de resistirse al poder de Milán o Florencia. Eso me llevó a dudar de mi cordura, me hizo pensar que no habíamos sido aniquilados por unos demonios sino que el ataque lo habían perpetrado unos enemigos vulgares y corrientes.

Era deprimente contemplar las derruidas almenas recortándose sobre un cielo límpido y despejado, y tropezarme con restos de aldeas cubiertos de hierbajos, con sus destartaladas chozas y altares situados en los cruces de caminos, donde unas vírgenes o santos de piedra quedaban ocultos por las telarañas y las sombras.

Cuando distinguí a lo lejos, sobre una colina, una población fortificada, comprendí que era milanesa, y yo no tenía la menor intención de subir allí. ¡Me había extraviado!

En cuanto a los bandidos, sólo me topé con una pequeña y ridícula cuadrilla de salteadores, a quienes abrumé con mi incesante parloteo.

Más que atemorizarme, aquella banda de idiotas me procuraron una amena distracción. La sangre corría por mis venas a tal velocidad como mi lengua:

—Me he adelantado al grupo de cien hombres que encabezo —declaré—. Perseguimos a una banda de forajidos que afirman luchar para Sforza, pero en realidad son unos violadores y unos ladrones. ¿Los habéis visto? Os daré un florín a cada uno de vosotros, si me facilitáis alguna información. Acabaremos con ellos en cuanto les echemos el ojo. Estoy cansado. Estoy harto de andar tras ellos.

Tras estas palabras, les arrojé unas monedas.

Los bandidos pusieron pies en polvorosa.

Pero no antes de informarme, refiriéndose a la comarca que nos circundaba, de que la población florentina más cercana era Santa Maddalana. Se hallaba a dos horas de camino y cerraba sus puertas por la noche; nadie podía traspasarlas, por más que intentara convencer a los centinelas.

Yo fingí estar enterado de ello y comenté que me dirigía a un famoso monasterio que estaba situado al norte, pero que me habría sido imposible alcanzar. Luego les arrojé otro puñado de monedas y partí al galope, indicándoles que fueran al encuentro de los hombres que me seguían, los cuales también les pagarían por el servicio.

Durante todo el rato presentí que los bandidos sopesaban la posibilidad de matarme y apoderarse de lo que llevara encima. Mi única defensa era mirarlos sin pestañear, recurrir a las baladronadas y no ceder un ápice de terreno, con lo cual conseguí librarme de una muerte segura a manos de aquellos rufianes.

Me alejé a toda velocidad, para desviarme de la carretera principal y dirigirme hacia las laderas desde las que distinguí a lo lejos la borrosa silueta de Santa Maddalana. Era una población grande. Vi cuatro imponentes torres que se erguían junto a las puertas de la población, y los campanarios de unas iglesias.

Yo había confiado en alcanzar una población más pequeña y menos fortificada. Pero no recordaba el nombre de ninguna y estaba demasiado cansado y perdido para ponerme a buscar otro lugar donde refugiarme.

El sol de la tarde resplandecía pero comenzaba a declinar. Tenía que llegar cuanto antes a Santa Maddalana.

Cuando alcancé la montaña sobre la que se elevaba la población, ascendí por los estrechos y empinados caminos que utilizaban los pastores.

La luz diurna se extinguía con rapidez. El bosque era demasiado espeso para ofrecer reposo junto a una población fortificada. Maldije a los habitantes por no desbrozar el monte, aunque así podía ocultarme entre los árboles.

En ciertos momentos, mientras cabalgaba entre las densas sombras, temí no alcanzar la cima; las estrellas iluminaban un cielo resplandeciente y zafirino, lo cual hacía que la venerable y majestuosa población me pareciera aún más inaccesible.

Al poco rato la implacable noche cayó sobre los gruesos troncos de los árboles; yo seguí avanzando, confiando en el instinto de mi caballo más que en mi capacidad de ver en la oscuridad. La pálida luna menguante parecía estar enamorada de las nubes. El firmamento se reducía a unos fragmentos que yo divisaba a duras penas a través del espeso follaje.

De pronto recé a mi padre, como si éste se hallara a salvo entre los ángeles guardianes que me rodeaban. Creía en él y en su presencia con más convencimiento de lo que jamás había creído en los ángeles.

—Te lo suplico, padre —dije—. Sácame de aquí. Ayúdame a alcanzar un lugar seguro, no permitas que esos demonios me impidan vengar vuestra muerte.

Aferré con firmeza la empuñadura de mi espada. Recordé que llevaba unos puñales ocultos en las botas, en la manga, en la chaqueta y en el cinturón. Achiqué los ojos, intentando distinguir los objetos que me rodeaban a la luz del firmamento, y confié en que mi montura se abriera camino entre los gruesos troncos de los árboles.

De vez en cuando me detenía. Pero no percibí ningún sonido sospechoso. ¿Qué otra persona sería tan imprudente como para cabalgar por el bosque a aquellas horas de la noche? De pronto, hacia el fin de mi odisea, di con la carretera principal. El bosque se aclaró, y dio paso a unos campos y prados; yo espoleé a mi montura y avancé a galope por la serpenteante carretera.

Por fin vislumbré la población. Se irguió ante mis ojos al doblar el último recodo, y tuve la sensación de caer a los pies de una mágica fortaleza. Emití un profundo suspiro de alivio y gratitud, pese a que las gigantescas puertas estaban cerradas a cal y canto, como para impedir la entrada a un ejército hostil que hubiera acampado frente a las mismas.

Éste debía de ser mi paraíso.

Como es lógico el centinela, un adormilado soldado que

me increpó desde su puesto de guardia, deseaba conocer mi identidad.

De nuevo el esfuerzo de inventarme una respuesta convincente logró que olvidara por unos instantes las atropelladas e incontrolables imágenes de la demoníaca Ursula y su brazo cortado, y de los cuerpos decapitados de mi hermano y mi hermana, postrados en el suelo de la capilla, mostrando un gesto de estupor.

En tono humilde pero con vocabulario pretencioso, respondí que era un hombre de letras empleado por Cosme de Médicis y había venido en busca de unos libros en Santa Maddalana, concretamente unos libros antiguos de oraciones a propósito de los santos y las apariciones de la Virgen María en esa región.

Qué disparate.

Estaba ahí, afirmé, para visitar las iglesias, las escuelas y a los viejos maestros que habitaran en esa población, y llevarme conmigo lo que pudiera adquirir con los florines de oro que mi patrón me había entregado en Florencia.

—¡Su nombre, su nombre! —insistió el soldado al tiempo que abría unos centímetros una pequeña puerta inferior y sostenía en alto su linterna para examinarme.

Yo sabía que ofrecía una buena estampa montado sobre mi caballo.

—De' Bardi —repuse—. Antonio De' Bardi, pariente de Cosme —declaré sin pestañear, nombrando la familia de la esposa de Cosme porque era el único apellido que recordé en esos momentos—. Toma, buen hombre, acepta este dinero que te ofrezco para que disfrutes de una buena cena con tu esposa. Es muy tarde y estoy agotado.

La puerta se abrió. Yo desmonté para conducir a mi caballo con la cabeza agachada a través de la misma hasta llegar a una plaza en cuyos adoquines resonaban nuestras pisadas.

—¿Qué diablos hacías en el bosque, solo, a estas horas

de la noche? —preguntó el centinela—. ¿No sabes que es muy peligroso? Eres muy joven para andar por estos parajes. ¿Cómo se les ocurre a los De' Bardi dejar que sus secretarios viajen sin escolta por esta región? —El centinela se embolsó el dinero que le entregué—. ¡Si eres una criatura! Alguien podía haberte asesinado para robarte esos botones tan valiosos. ¿Acaso has perdido el juicio?

Era una plaza enorme, rodeada por varias calles que desembocaban en ella. «¡Buena suerte!», me deseé a mí mismo. ¿Pero y si los demonios se hallaban allí? Yo no tenía ni remota idea de dónde vivían o se ocultaban esos seres. No obstante, dije:

—Yo tengo la culpa. Me extravié. Si me denuncias tendré problemas —dije—. Indícame dónde está la posada. Estoy muy cansado. Toma este dinero, no, no tómalo. —Le di otro puñado de monedas—. Extravié el camino. No hice caso a quienes me aconsejaron que no partiera solo. Estoy a punto de desmayarme. Necesito unos tragos de vino, comer y acostarme. Toma, buen hombre, no, no, no, insisto en que aceptes estas monedas. Considéralo una recompensa de los De' Bardi por tu amabilidad.

El hombre tenía los bolsillos repletos de las monedas que yo le había entregado, y se guardó las últimas en el interior de su camisa. Luego me condujo a la luz de su antorcha hasta la posada. Aporreó la puerta con insistencia y al cabo de unos momentos nos abrió una anciana de rostro amable, quien aceptó encantada las monedas que deposité en su mano para que me alquilara una habitación.

—Le agradecería que estuviera situada en el piso superior, desde donde se contemple el valle —dije—. Y que me sirva algo de cena, aunque esté fría.

—No encontrarás libros en esta población —dijo el centinela mientras yo subía apresuradamente la escalera tras la anciana—. Todos los jóvenes se marchan; es un lugar tranquilo, poblado de afables comerciantes. Hoy en día los jóvenes se van para estudiar en las universidades. Pero es una población encantadora para vivir, muy hermosa.

—¿Cuántas iglesias hay? —pregunté a la anciana cuando llegamos a la habitación. Le pedí que me dejara la vela para alumbrarme durante la noche.

—Dos dominicas y una carmelita —contestó el centinela apoyándose en el marco de la pequeña puerta—, y una iglesia franciscana muy bonita, que es la que yo frecuento. Aquí nunca ocurre nada malo.

La anciana meneó la cabeza y le dijo que se callara. Luego depositó la vela en un rincón y me indicó que podía quedármela.

Mientras el centinela seguía hablando, me senté en la cama, con la vista fija en el infinito, hasta que la anciana me trajo un plato de cordero frío, un poco de pan y una jarra de vino.

—Nuestras escuelas son muy estrictas —continuó el hombre.

La anciana le ordenó de nuevo que se callara.

—Nadie se atreve a causar problemas en este lugar —afirmó el centinela, tras lo cual él y la anciana se marcharon.

Me lancé sobre la comida cono un animal. Lo único que pretendía era recuperar las fuerzas. Estaba tan afligido que no podía pensar en degustarla. Contemplé durante un rato un fragmento de cielo estrellado a través de la ventana mientras imploraba con desespero a todos los santos y ángeles cuyos nombres conocía que me ayudaran. Luego cerré la ventana.

Y eché el cerrojo a la puerta.

Tras asegurarme de que la vela estaba al abrigo de corrientes de aire, y que era lo bastante grande para arder hasta que amaneciera, me dejé caer sobre la estrecha y dura cama, demasiado agotado para quitarme las botas, la espada, los puñales o lo demás. Pensé que no tardaría en sumirme en un sueño profundo, pero permanecí despierto, lleno de odio y dolor, con el alma partida, contemplando la oscuridad y sintiendo un regusto de muerte en la boca.

Oí unos sonidos abajo que indicaban que estaban dando de beber a mi caballo, y unos solitarios pasos por la calle desierta. Cuando menos estaba a salvo.

Por fin caí plácidamente dormido. El entramado de nervios que me había aprisionado y exasperado se disolvió, y me sumí en una oscuridad desprovista de sueños.

Fui consciente de ese dulce instante en que nada importa salvo dormir para recobrar las fuerzas, sin temer sufrir una pesadilla, y luego nada.

Un ruido me devolvió a la realidad. Me desperté de inmediato. La vela se había apagado. Eché mano de mi espada antes de abrir los ojos. Permanecí inmóvil sobre el estrecho camastro, de espaldas a la pared, mientras contemplaba la habitación, que estaba iluminada por un resplandor que de momento no logré identificar. Miré la puerta cerrada con cerrojo, pero me era imposible ver la ventana a menos que volviera la cabeza y alzara la vista; sin embargo, estaba seguro de que alguien había penetrado a través de la ventana pese a estar protegida por unos barrotes. El débil resplandor que incidía sobre la pared provenía del firmamento. Era un resplandor débil, frágil, que se proyectaba sobre el muro de la población y confería a mi pequeña habitación el aire de un encarcelamiento.

Sentí una ráfaga de aire fresco en el cuello y en mis mejillas. Agarré la espada con fuerza, atento, a la espera. Percibí unos pequeños crujidos. La cama se había movido ligeramente, como si alguien ejerciera una presión.

Me esforcé en ver con claridad. De pronto la oscuridad lo engulló todo y entonces surgió una silueta, una figura que se inclinó sobre mí, una mujer cuya cabellera le caía sobre el rostro, y me miró a los ojos.

Era Ursula.

Su rostro se hallaba a un par de centímetros del mío. Su

mano fresca y suave aferró con una fuerza increíble la mano con la que yo sujetaba la espada, al tiempo que sus pestañas me acariciaban la mejilla, y me besó en la frente.

Me envolvió una extraña dulzura, pese al intenso odio que me reconcomía. Un sórdido torrente de sensaciones penetró hasta mis entrañas.

—¡*Strega*! —le espeté.

—Yo no los maté, Vittorio. —La voz era implorante pero poseía una dignidad y una fuerza melodiosa, aunque no era potente; era una voz de timbre juvenil y femenino.

—Tú ibas a llevártelos —repliqué.

Hice un movimiento brusco con el fin de liberarme, pero ella me sujetó con fuerza, y cuando intenté alzar el brazo izquierdo, que estaba atrapado bajo mi peso, Ursula me asió por la muñeca, impidiendo que me moviera. Luego me besó.

Aspiré el magnífico perfume que emanaba de su persona y que ya había percibido con anterioridad; el roce de su cabello sobre mi rostro me provocó unos lascivos escalofríos.

Traté de volver la cabeza, y ella me rozó la mejilla con los labios, levemente, casi con respeto.

Sentí su cuerpo oprimido contra el mío: la turgencia de sus pechos debajo del costoso tejido, la suavidad del esbelto muslo junto a mí sobre el lecho, la lengua lamiendo mis labios.

Los escalofríos que recorrían mi cuerpo me tenían inmovilizado, humillándome y atizando la pasión que ardía en mi interior.

—Apártate de mí, *strega* —murmuré.

Pese a la furia que me embargaba, no logré contener el deseo que lentamente había hecho presa en mí; fui incapaz de detener las exquisitas sensaciones que se deslizaban sobre mis hombros, mi espalda y a través de mis piernas.

Sus pupilas resplandecían; el parpadeo de sus ojos constituía más una sensación que un espectáculo que yo pudiera contemplar con mis propios ojos. Oprimió de nuevo sus labios sobre los míos y succionó mi boca, lamiéndola; luego se apartó y apoyó la mejilla en mi rostro.

Su piel, semejante a la porcelana, era más suave que una pluma. ¡Ah! Toda ella semejaba una muñeca confeccionada con los más sensuales y mágicos materiales, más dúctil que un ser de carne y hueso y, sin embargo, ardiente; de su cuerpo emanaban unas rítmicas pulsiones de pasión que me transmitía a través de sus fríos dedos al acariciarme la muñeca y de su lengua ardiente que exploraba mi boca, pese a mi resistencia, con una húmeda, deliciosa y vehemente fuerza contra la que yo nada podía hacer.

En mi mente confusa cobró forma la noción de que Ursula utilizaba mi ardiente deseo para dejarme inerme; la locura carnal me había reducido a un cuerpo articulado por unos hilos metálicos que conducían el fuego que ella vertía en mi boca.

Ursula retiró la lengua de mi boca y me succionó de nuevo los labios. Sentí un cosquilleo en todo el rostro. Mi cuerpo entero luchaba contra ella y al mismo tiempo pugnaba por tocarla, sí, por abrazarla y a la vez por rechazarla.

Ella aprovechó la evidencia de mi deseo, que yo no podía ocultar. La odiaba.

—¿Por qué? ¿Para qué? —protesté, apartando la boca.

Cuando alzó la cabeza, la cabellera se le desparramó sobre las mejillas. Yo experimenté un placer sobrehumano que apenas me dejaba respirar.

—Apártate —dije—, regresa al infierno. ¿Por qué te compadeces de mí? ¿Por qué me haces esto?

—No lo sé —respondió ella con una voz bien modulada pero trémula—. Quizá no deseo que mueras —dijo, respirando junto a mi pecho. Sus palabras brotaban tan rápidas como su acelerado pulso—. Quizá sea más que eso —añadió—. Tal vez deseo que vayas al sur, a Florencia, que te alejes de aquí y olvides todo cuanto ha sucedido, como si se tratara de una pesadilla o los conjuros de unas brujas, como si esto jamás hubiera ocurrido. Debes marcharte de aquí, ahora.

—¡No quiero oír tus asquerosas mentiras! —espeté—. ¿Crees que seguiré tus consejos? ¡Asesinaste a mi familia, tú y tus malditos secuaces, quienesquiera que seáis!

Ella inclinó la cabeza, dejando que su cabello cayera sobre mí como una trampa. Intenté liberarme, pero fue en vano. Me hallaba en su poder.

Todo era oscuridad, y una suavidad indescriptible. Sentí de pronto una pequeña punzada en el cuello, como un alfilerazo, y una apacible dicha invadió mi mente.

Tuve la sensación de haber caído en un prado lleno de flores barrido por el viento, lejos de aquel lugar y de todas mis desgracias, y ella estaba junto a mí, echada en silencio sobre unas maltrechas ramitas y unas resignadas azucenas. Ursula, con su cabello suelto de color rubio ceniza, sonriendo y mirándome con unos ojos seductores, apremiantes, fervorosos, quizás incluso brillantes, como si lo nuestro hubiera sido un enamoramiento súbito y total del espíritu y el cuerpo. Luego se montó sobre mí, observándome con una exquisita sonrisa, y separó las piernas para que la penetrara.

Me sentí embargado por una delirante mezcla de elementos: el pliegue húmedo y secreto que se contraía entre sus piernas y la abundante y silenciosa elocuencia que emitía su mirada al tiempo que ella me contemplaba con embeleso.

De pronto aquello cesó. La cabeza me daba vueltas. Noté sus labios sobre mi cuello.

Intenté apartarla con todas mis fuerzas.

—Te destruiré —dije—. Lo juro. Aunque tenga que perseguirte hasta la boca del infierno —murmuré.

La empujé con tal ímpetu que sentí mi carne ardiente contra la suya. Pero ella no cedió. Traté de despejar mi mente. «¡No, alejaos de mí, dulces sueños, no!»

—Aléjate de mí, bruja.

—Chist, calla —respondió ella con tristeza—. Eres joven, obstinado y muy valiente. Yo también fui joven como tú. Sí, era un dechado de virtudes, decidida, arrojada.

—No quiero oír tus malditas mentiras —repliqué.

—Calla —ordenó de nuevo—. Despertarás a toda la casa. ¿Y de qué te habrá servido? —¡Cuán dolorida, sincera y seductora sonaba su voz en mis oídos! Me habría seducido incluso hablándome a través de una cortina—. No puedo protegerte siempre, ni siquiera durante mucho tiempo. Debes irte, Vittorio.

Ursula se apartó, permitiéndome así contemplar sus ojos grandes, dulces y sinceros. Era una obra de arte. Esa belleza, el simulacro perfecto de la bruja que yo había visto a la luz de las velas en la capilla, no necesitaba pociones ni conjuros para apoyar su causa. Era un ser perfecto e íntimamente magnífico.

—Sí —confesó ella al tiempo que escrutaba mi rostro con sus ojos semivisibles—. Posees una belleza que me conmueve —dijo—. Es injusto, muy injusto. ¿Por qué debo padecer este tormento aparte de todo lo demás?

Yo pugné por deshacerme de su abrazo. No contesté. No quería alimentar ese fuego enigmático e infernal.

—Vete de aquí, Vittorio —dijo ella bajando la voz, en un tono tan dulce como insistente—. Dispones de unas noches, quizá ni siquiera eso. Si vuelvo a por ti, te conduciré a ellos. Vittorio... No se lo cuentes a nadie en Florencia. Se reirían de ti.

Tras estas palabras desapareció.

La cama crujió y se movió un poco. Yo permanecí tendido boca arriba; las muñecas me dolían debido a la presión de sus manos. A través de la ventana se filtraba una luz gris, mortecina; el muro junto a la posada se erguía hacia el cielo, que yo no lograba ver desde la posición en que me hallaba.

Estaba solo en la habitación. Ella se había desvanecido.

De pronto obligué a mis miembros a moverse, pero antes de que me levantara ella apareció de nuevo sobre la ventana, visible desde la cintura a la parte superior de la cabeza, observándome. En éstas se llevó las manos al pecho y desgarró el borde de su corpiño bordado, mostrando sus pechos desnudos y blancos: diminutos, redondeados, muy juntos, los pezones erectos sólo perceptibles por su oscuridad. Con la mano derecha se rascó el pecho izquierdo, justo encima del pezón, haciendo que sangrara.

—¡Bruja!

Me levanté de un salto para abalanzarme sobre ella, con la intención de matarla, pero ella me asió la cabeza y oprimió su seno izquierdo, irresistible, frágil y a la vez firme, contra mi boca. Una vez más, todo lo real se esfumó como el humo que brota de un fuego, y ambos nos hallamos de nuevo en aquel prado que sólo nos pertenecía a nosotros, sólo a nuestros diligentes e indisolubles abrazos. Succioné la leche de sus pechos como si ella fuera a la vez doncella y madre, virgen y reina, al tiempo que yo rompía con mi ávido miembro la flor que ella guardaba en su interior, dispuesta a ser desgarrada.

De pronto ella me soltó y caí. Inerme, incapaz de alzar siquiera una mano para impedir que se alejara volando, caí, débil y estúpido, sobre mi cama, con el rostro húmedo y las piernas temblando.

No podía incorporarme. Era incapaz de hacer nada. Vi en unos fugaces destellos nuestro prado de delicadas azucenas blancas y rojas, las flores más bellas de la Toscana, las azucenas silvestres de nuestra tierra, meciéndose entre la hierba intensamente verde, y vi a Ursula alejarse de mí corriendo. La imagen era transparente, desdibujada, y no ocultaba la pequeña celda que constituía mi habitación como sucediera antes, sino que permanecía suspendida cual velo sobre mi rostro, para atormentarme con su cosquilleo y su ligera suavidad.

—¡Conjuros! —musité—. ¡Dios mío, si me has asignado unos ángeles guardianes, ordénales que me cubran con sus alas! —suspiré—. Los necesito.

Por fin, tembloroso y con la vista turbia, me incorporé. Me froté el cuello. Sentí unos escalofríos que me recorrían la espalda y la parte posterior de los brazos. Mi cuerpo estaba sacudido por el deseo.

Cerré los ojos, negándome a pensar en ella pero ansiando algún alivio, alguna fuente de estimulación que calmara mis ardientes deseos.

Me recosté de nuevo y permanecí quieto hasta que la locura carnal se disipó.

Volví a ser un hombre, precisamente por no haberme comportado con la frivolidad de un hombre.

Me levanté a punto de llorar, tomé la vela y me dirigí a la sala principal de la posada, procurando bajar la escalera de piedra sin hacer ruido. Encendí la vela con el candil que colgaba de un gancho en la pared, a la entrada del pasillo, y regresé a mi habitación, aferrándome a la seguridad que me procuraba esa lucecita; protegí la oscilante llama con mi mano y recé para que no se apagara. Luego deposité la vela en el suelo.

Me encaramé sobre la repisa de la ventana y miré a través de ella.

Nada, nada salvo la enorme distancia que me separaba del suelo, un escarpado muro por el que una doncella de carne y hueso sería incapaz de trepar, y en lo alto, el firmamento mudo y pasivo donde unas pocas estrellas aparecían cubiertas por unas vaporosas nubes, como negándose a escuchar mis oraciones y reconocer la penosa situación en la que me hallaba.

Yo tenía la certeza de que iba a morir.

Caería víctima de esos demonios. Ella estaba en lo cierto. ¿Cómo iba a vengarme de ellos? ¿Cómo lo conseguiría? Sin embargo yo confiaba a ciegas en mi empeño. Creía en mi venganza con tanta firmeza como creía en ella, la bruja a quien había tocado con mis propios dedos; esa que se había atrevido a provocar un tremendo conflicto en mi alma, que había aparecido con sus camaradas de la noche para asesinar a mi familia.

No lograba borrar las imágenes de la noche anterior: Ursula de pie en la puerta de la capilla, observándome perpleja. No conseguía eliminar su sabor de mis labios. Con sólo pensar en aquellos pechos sentía que mi cuerpo se debilitaba, como si ella alimentara mi deseo con la leche de sus pezones.

«Haz que este tormento desaparezca —recé—. No puedes escapar, no puedes ir a Florencia, no puedes vivir siempre con el recuerdo de la matanza que presenciaste con tus propios ojos, eso es imposible, impensable. No puedes.»

Rompí a llorar y entonces comprendí que de no haber sido por ella yo no estaría vivo en esos momentos.

Fue ella, la bruja de cabello rubio ceniza a la que yo maldecía sin cesar, quien había impedido que su camarada encapuchado me matase. ¡Habría sido una victoria total!

De pronto me invadió una profunda sensación de calma. Si iba a morir, no podía hacer nada para impedirlo. Sin embargo, antes los atraparía.

Tan pronto como amaneció, me levanté y di un paseo por la aldea, portando las alforjas al hombro como si no contuvieran nada valioso. Recorrí buena parte de Santa Maddalana; contemplé las callejuelas adoquinadas y desprovistas de árboles, construidas hacía siglos, y los pintorescos edificios de piedras enlucidas dispuestas de forma aleatoria, que quizá se remontaran a la época romana.

Era una población maravillosamente pacífica y próspera.

Las fraguas ya habían abierto, al igual que los ebanistas y los fabricantes de sillas de montar; había unos zapateros que confeccionaban elegantes escarpines y recias botas, numerosos joyeros y orfebres, espaderos, fabricantes de llaves, curtidores y peleteros.

Pasé frente a innumerables comercios de artesanía. Se podía adquirir todo tipo de tejidos provenientes de Florencia, supongo, encaje del norte y el sur, y especias de Oriente. Los carniceros ofrecían un gran surtido de carne, debido a la abundancia de ganado que había en la zona. Pasé frente a numerosas vinaterías, las dependencias de un par de atareados notarios, escritores de cartas y demás, y médicos o, mejor dicho, boticarios.

Unos carros atravesaron las puertas de la población, y en las calles se formó un pequeño gentío antes de que el sol cayera a plomo sobre los tejados y los adoquines que pisé mientras ascendía la cuesta.

Las campanas de las iglesias tocaban a misa y vi un gran número de escolares pasar junto a mí de forma apresurada, pulcros y bien vestidos; dos pequeños grupos entraron escoltados por unos monjes en las iglesias, que eran muy antiguas y no presentaban ornamento alguno en la fachada, salvo las estatuas que alojaban unos nichos —santos con los rasgos borrados por el paso del tiempo—, cuyas piedras reparadas sin duda habían padecido los frecuentes terremotos que asolan esta región.

Pasé frente a dos modestas librerías en las que no hallé ningún volumen que me interesara, salvo los acostumbrados devocionarios, pero eran muy caros. Dos mercaderes vendían unos artículos exquisitos procedentes de Oriente. Había también numerosos vendedores de alfombras, los cuales ofrecían una enorme variedad de objetos artesanales y suntuosas alfombras de Bizancio.

Una gran cantidad de dinero cambiaba rápidamente de manos. Me crucé con numerosas personas bien vestidas que exhibían sus elegantes atuendos. Daba la impresión de ser una población autosuficiente, aunque vi algunos viajeros que ascendían la colina y percibí el eco de los cascos de sus monturas entre los desvencijados muros. Incluso me pareció divisar en la lejanía un convento abandonado y fortificado.

Pasé frente a otras dos posadas, y mientras recorría algunas callejuelas apenas transitables comprobé que la población tenía tres calles importantes, las cuales discurrían en sentido paralelo colina arriba y abajo.

En el extremo opuesto se hallaban las puertas de la población, a través de las cuales había entrado yo, y en la plaza acababa de abrir el inmenso mercado de frutas y hortalizas.

Sobre la colina se erguía la fortaleza o castillo en ruinas donde antaño habitaba el señor feudal, una gigantesca mole de vetustas piedras de la que sólo era visible una parte desde la calle, y en las plantas inferiores de ese edificio se hallaban instaladas las oficinas municipales.

Había varias placitas y unas fuentes antiguas y casi en ruinas, pero de las que aún manaba agua. Reparé en unas ancianas ajetreadas que caminaban con sus cestas de la compra y sus toquillas pese al calor; y vi a unas hermosas muchachas que me observaron sin recato, todas ellas muy jóvenes. Pero yo no quise saber nada de ellas.

Tan pronto como terminó la misa y comenzaron las clases en la escuela, me dirigí a la iglesia dominica —la última y más imponente de las tres que vi— y pregunté en el refectorio si podía hablar con un sacerdote. Deseaba confesarme.

Apareció un sacerdote joven y apuesto, con un cuerpo bien formado, una piel de aspecto saludable y un aire muy devoto, cuyas ropas blancas y negras estaban impecablemente limpias. El sacerdote observó mi vestimenta, y mi espada, me examinó de forma detenida pero respetuosa y, tomándome por un personaje importante, me invitó a pasar a una pequeña estancia para la confesión.

Era más amable que servil. En torno a su pelada coronilla mostraba un estrecho círculo de pelo corto y dorado; tenía unos ojos grandes, casi tímidos.

Se sentó, y yo me arrodillé junto a él sobre las baldosas del suelo y le relaté la espantosa historia.

Con la cabeza gacha, se lo conté todo, pasando rápidamente de un tema a otro, desde los primeros y extraños acontecimientos que habían despertado mi curiosidad y preocupación, hasta las últimas palabras fragmentadas y misteriosas de mi padre, y por último el ataque que habíamos sufrido y el salvaje asesinato de todas las personas que se hallaban en el recinto del castillo.

Cuando le relaté la muerte de mi hermano y mi hermana, comencé a gesticular muy alterado, describiendo con las manos la forma de la cabeza de mi hermano, respirando entrecortadamente e incapaz de serenarme.

Tras pronunciar la última palabra de mi relato, alcé la cabeza y comprobé que el joven sacerdote me observaba con aflicción y horror.

No supe cómo interpretar su expresión. Lo mismo podía describir el espanto de un hombre al ver un insecto que un batallón de desalmados asesinos.

¿Qué era lo que esperaba yo, por el amor de Dios?

—Mire, padre, sólo le pido que envíe a alguien a la montaña y lo compruebe por usted mismo —dije al tiempo que encogía los hombros y extendía las manos en un gesto implorante—. ¡Eso es todo! Envíe a alguien para que confirme mis palabras. No han robado nada, padre, no falta nada, salvo lo que me he llevado yo. ¡Vaya a comprobarlo! Me consta que todo está intacto, a excepción de lo que puedan haber robado los cuervos o los buitres que merodeen por aquellos parajes.

El sacerdote no respondió. La sangre palpitaba en su joven rostro; tenía la boca abierta y sus ojos traslucían una expresión de desconcierto y pesar.

¡Ah, esto era maravilloso! Un joven y melifluo sacerdote, a buen seguro recién salido del seminario, acostumbrado a escuchar los perversos pensamientos de las monjas y a los hombres que acudían a él una vez al año para farfullar arrepentidos sobre los vicios de la carne porque sus esposas les obligaban a cumplir el débito conyugal.

Me indigné.

—Está usted bajo el secreto del confesionario —dije, intentando no perder la paciencia y mostrarme prepotente, como suelo hacer con los sacerdotes estúpidos que logran enfurecerme—. Pero le autorizo, bajo el secreto de confesión, a enviar a un mensajero a esa montaña para que compruebe con sus propios ojos...

—Pero hijo mío —replicó el sacerdote con voz grave, expresándose con inusitada decisión y firmeza—, ¿no comprendes que quizá fueran los mismos Médicis quienes enviaron a esa cuadrilla de asesinos?

—No, no, padre —insistí meneando la cabeza—. Vi cómo se desprendía la mano de esa diabólica criatura. Yo se la corté. Y vi cómo la colocaba de nuevo en su lugar. Eran unos demonios. Escuche, esos seres son unos brujos salidos del infierno, y son demasiados para que yo pueda vencerlos solo. No hay tiempo para la incredulidad. No hay tiempo para dudas razonables. ¡Necesito la ayuda de los dominicos!

El sacerdote meneó la cabeza y contestó sin titubear:

—Has perdido el juicio, hijo mío. Te ha ocurrido algo terrible, de eso no cabe duda, y estás convencido de lo que dices. Pero no sucedió. Es fruto de tu imaginación. Hay muchas viejas que afirman hacer conjuros...

—Ya lo sé —dije—. Reconozco a un alquimista o a una bruja vulgar y corriente a la legua. No se trataba de unos conjuros caseros, padre, de las maldiciones de unas viejas campesinas. Le aseguro que esos demonios asesinaron a todas las personas que se encontraban en el castillo, en las aldeas. ¿No lo entiende?

Repetí al sacerdote mi historia, sin omitir detalle alguno, por atroz que fuese. Le expliqué que Ursula había entrado en mi habitación por la ventana, pero de pronto comprendí que empeoraba las cosas insistiendo en mi encuentro con Ursula.

El hombre debió de pensar que yo había despertado de un sueño erótico y había imaginado un maldito súcubo. Comprendí que el mío era un empeño inútil.

Sentía una opresión en el pecho. Sudaba a raudales. Estaba perdiendo el tiempo.

—Deme la absolución —dije.

—Deseo pedirle algo —repuso el sacerdote al tiempo que me tomaba la mano.

El hombre estaba temblando. Se mostraba más asombrado y perplejo que antes, y preocupado, según deduje, por mi estado mental.

—¿Qué? —pregunté con frialdad. Estaba impaciente por irme. Tenía que encontrar un monasterio o a un maldito alquimista. En esa población había alquimistas. Tenía que dar con alguien que hubiera leído las obras antiguas, las obras de Hermes Trimegisto, Lactancio o san Agustín, alguien que estuviera informado sobre las fuerzas demoníacas—: ¿Ha leído a santo Tomás de Aquino? —pregunté, eligiendo al experto en demonología más conocido que se me ocurrió en aquellos momentos—. Habla continuamente sobre demonios, padre. ¿Cree usted que hace un año yo mismo habría creído esto? Creía que la magia era cosa de embaucadores de poca monta. ¡Le aseguro que esos seres eran demonios! —insistí. No estaba dispuesto a ceder. Continué en tono áspero—: En la *Suma teológica*, libro primero, santo Tomás se refiere a los ángeles caídos, y afirma que algunos moran en la Tierra, de lo que se desprende que todos esos ángeles caídos no están excluidos del plan natural divino. El Señor permite que estén aquí, para que sean útiles, para que tienten a los hombres; portan consigo el fuego del infierno. Lo dice santo Tomás. Están aquí. Tienen... tienen... unos cuerpos que nosotros no comprendemos. Lo dice la *Suma*. Dice que los ángeles poseen unos cuerpos que no alcanzamos a comprender. Eso es lo que posee esa mujer. —Intenté recordar mi argumento inicial. Me esforcé en expresarme en latín—. Eso es lo que ella hace, esa criatura diabólica. Es una forma, una forma limitada, que yo no comprendo, pero estuvo allí; lo sé debido a sus actos.

El sacerdote alzó la mano para pedirme paciencia.

—Hijo, te lo ruego —dijo—. Permite que confíe lo que me has confesado al párroco. Compréndelo, él también estará obligado a observar el secreto de la confesión, al igual que yo. Permite que le pida que entre y le cuente lo que me has relatado, y que hable contigo. Pero no puedo hacerlo sin tu expresa autorización.

—Ya lo sé —respondí—. Pero ¿de qué me servirá hablar con ese párroco?

Adopté una actitud arrogante, impertinente. Estaba agotado. Recurrí al viejo truco del señor feudal de tratar a un sacerdote rural como si fuera un sirviente. Éste era un hombre de Dios, me dije, tenía que dominarme. Si el párroco era un hombre más instruido, quizá lo comprendiera. ¿Pero quién podía comprender lo que no había visto?

Tuve una fugaz pero nítida y dolorosa imagen del rostro preocupado de mi padre la noche anterior al ataque de los demonios. El dolor era inenarrable.

—Lo lamento, padre —dije al fin. Pestañeé, intentando reprimir ese recuerdo, el insoportable torrente de dolor y desesperación. ¡Qué sentido tenía que los seres humanos viniéramos a este mundo!

Entonces recordé las palabras de mi exquisita torturadora, su atormentada voz al decirme la noche anterior que ella también había sido joven, y un dechado de virtudes. ¿Por qué se había expresado con tanta amargura al hablar de sí misma?

Recordé también mis estudios de la obra de Aquino. ¿Acaso no dice el santo que los demonios permanecen inmutables en el odio que experimentan hacia nosotros? ¿En el orgullo que les llevó a pecar?

No era el caso de la sinuosa y sensual criatura que había aparecido ante mí. Pero esto era una locura. Me estaba compadeciendo de ella, que era justo lo que ella deseaba que hiciera. Yo disponía de pocas horas de luz diurna para planificar su destrucción, y no había tiempo que perder.

—Está bien, padre, haré lo que desea —dije—. Pero antes bendígame.

Mis palabras sacaron al sacerdote de su ensimismamiento. Me miró como si yo le hubiera sobresaltado.

De inmediato me impartió su bendición y su absolución.

—Proceda como quiera respecto al párroco —dije—. Pregúntele si puedo hablar con él. Tome, para la iglesia —añadí entregándole unos ducados.

El joven sacerdote contempló el dinero. No lo tocó, sino que se quedó mirando las monedas de oro como si fueran carbones encendidos.

—Tómelo, padre. Es una pequeña fortuna. Acéptelo.

—No, espera aquí..., o mejor, sal al jardín.

Se trataba de un jardín precioso, semejante a una pequeña y antigua gruta, desde el que contemplé la población que se prolongaba por la derecha hasta el castillo, y más allá de sus murallas vi las montañas. En el jardín había una estatua de santo Domingo, una fuente, un banco de madera y unas palabras esculpidas en la piedra referentes a un milagro.

Me senté en el banco. Contemplé el límpido firmamento y las virginales nubes blancas, y traté de serenarme. ¿Era posible que estuviera loco? Eso era ridículo.

El párroco me sobresaltó. Apareció a través de la pequeña puerta en arco del refectorio. Era un hombre de edad avanzada, prácticamente calvo, con una nariz menuda y bulbosa y unos ojos grandes y feroces. El joven sacerdote le seguía a paso rápido.

—Vete de aquí —me dijo el párroco en voz baja—. Abandona esta población. Márchate y no cuentes tus historias a nadie, ¿me has entendido?

—¿Cómo? —pregunté—. ¿Éste es el consuelo que me ofrece?

Me miró enfurecido.

—Te lo advierto.

—¿Qué es lo que me advierte? —pregunté sin ni siquiera levantarme del banco. El párroco siguió observándome con cara de pocos amigos—. Está obligado a guardar el secreto de confesión. ¿Qué hará si no me marcho?

—No tengo que hacer nada —replicó—. Vete y llévate

contigo tus desgracias. —El anciano se detuvo, desconcertado, quizás avergonzado de haber dicho algo de lo que se arrepentía. Rechinó los dientes y apartó la vista, pero al cabo de unos instantes se volvió de nuevo hacia mí—: Te ruego que te vayas, por tu propio bien —murmuró. Miró al otro sacerdote y añadió—: Retírate y deja que hable con él a solas.

El joven sacerdote, que parecía aterrorizado, se apresuró a obedecer.

Yo miré al párroco.

—Vete de aquí —me ordenó con voz grave y cruel, contrayendo la boca en un rictus que dejaba al descubierto sus dientes inferiores—. Vete de Santa Maddalana.

Yo le miré con desdén.

—Ha leído sobre esos seres, ¿no es cierto? —pregunté en voz baja.

—No seas loco —espetó—. Si te oyen hablar sobre demonios te quemarán en la hoguera por brujo. ¿Crees que es imposible?

El párroco me miró con odio, un odio que no se molestó en ocultar.

—Pobre y miserable sacerdote —repliqué—, está aliado con el diablo.

—¡Fuera de aquí! —gritó el anciano.

Me levanté y le miré a los ojos, que parecían a punto de saltársele de las órbitas, mientras su boca no cesaba de moverse en un gesto de protesta.

—No se atreva a violar el secreto de confesión, padre —le advertí—. Si lo hace, lo mataré.

El anciano se quedó inmóvil, mirándome de hito en hito.

Yo sonreí con frialdad, salí por la puerta de la rectoría y me alejé.

Él corrió detrás de mí, hablando a borbotones:

—Lo has entendido todo al revés. Estás loco, son imaginaciones tuyas. Trato de impedir que te persigan y vilipendien.

Al llegar a la puerta de la iglesia me volví y le observé hasta que guardó silencio.

—Se ha delatado, padre —dije—. Es un ser despiadado. Recuerde lo que he dicho. Si rompe el secreto de confesión, le mataré.

El anciano estaba tan aterrorizado como el joven sacerdote.

Contemplé largamente el altar, olvidando la presencia del párroco, fingiendo que en mi mente no bullían mil pensamientos, que estaba urdiendo un plan, cuando lo único que era capaz de hacer era soportar el dolor que me embargaba. Luego me santigüé y salí de la iglesia.

Estaba desesperado.

Caminé durante un rato. De nuevo aquélla me pareció la población más deliciosa que jamás había visto, con sus afables y diligentes comerciantes, las calles adoquinadas y barridas, las lindas macetas en las ventanas y las gentes bien vestidas que se apresuraban a atender sus asuntos.

Era el lugar más pulcro que había visto en mi vida, y el más apacible y alegre. Las gentes trataban de venderme sus mercancías, pero sin insistir demasiado. Sin embargo, en cierto aspecto era una población muy aburrida. No había personas de mi edad, al menos yo no las vi. Y muy pocos niños.

¿Qué iba a hacer? ¿Adónde iría? ¿Qué andaba buscando?

No sabía cómo responder a mis preguntas, pero me mantuve alerta, buscando alrededor algún indicio que confirmara que los demonios se ocultaban allí, que Ursula no me había encontrado en ese lugar, pero yo sí a ella.

El mero hecho de pensar en ella me produjo una fría y tentadora sacudida de deseo. Imaginé sus pechos, sentí su sabor, vi en una imagen borrosa y fugaz el prado sembrado de flores. ¡No!

«Piensa. Trázate un plan.» En cuanto a los habitantes de esa población, al margen de lo que supiera el sacerdote, eran demasiado íntegros para dar cobijo a unos demonios.

5

El precio de la paz y el precio de la venganza

Cuando el calor se intensificó, entré en el tranquilo jardín de la posada para degustar el copioso almuerzo que servían al mediodía y me senté solo bajo una glicina, cuyas magníficas flores asomaban a través de la pérgola. Este lugar estaba situado en el mismo sector que la iglesia dominica, y ofrecía una espléndida vista de la parte izquierda de la población de las montañas.

Cerré los ojos y, apoyando los codos en la mesa, junté las manos y recé:

—Dios mío, dime qué debo hacer. Indícame el camino a seguir. —Luego mi ánimo se serenó y aguardé mientras reflexionaba.

¿Qué opciones tenía?

¿Relatar esta historia en Florencia? ¿Quién iba a creerla? ¿Ir a ver a Cosme y contársela? Aunque admiraba y confiaba en los Médicis, debía tener presente un hecho. Yo era el único miembro de mi familia que estaba vivo. Sólo yo tenía derecho a las fortunas que habíamos depositado en el banco de los Médicis. No creía que Cosme negara mi firma ni mi identidad. Me entregaría lo que me pertenecía, al margen de que yo tuviera parientes o no, pero no creería la historia de los demonios. Acabaría preso en una cárcel de Florencia.

En cuanto a morir quemado en la hoguera acusado de

brujería, era posible. No probable. Pero sí posible. Podía ocurrir de forma repentina y espontánea en una población como ésta: la gente comenzaba a murmurar, el párroco local presentaba una denuncia y la multitud se echaba a la calle vociferando para presenciar el espectáculo. Más de uno había corrido esa suerte.

En aquel momento me sirvieron la comida, un opíparo almuerzo que consistía en fruta fresca y cordero asado con salsa. Cuando me disponía a mojar pan en la salsa y empezar a comer, aparecieron dos individuos que preguntaron si podían sentarse a mi mesa e invitarme a una copa de vino.

Observé que uno de ellos era un franciscano, un sacerdote de aspecto bondadoso, más pobre que los dominicos, lo cual supuse que era lógico, y el otro un anciano que poseía unos ojillos vivarachos y unas cejas largas, blancas y erizadas como si las hubiera untado con cola, al modo de un alegre duende que quisiera divertir a los niños

—Te vimos entrar en la iglesia de los dominicos —dijo el franciscano con tono quedo y una educada sonrisa—. Al salir parecías disgustado. ¿Por qué intentas hablar con nosotros? —añadió al tiempo que me guiñaba el ojo. Luego lanzó una carcajada. Era una broma inofensiva sobre la rivalidad que existía entre ambas órdenes—. Eres un joven bien plantado. ¿Vienes de Florencia? —preguntó.

—Así es, padre —contesté—. Estoy de viaje, aunque no conozco con exactitud mi destino. He decidido quedarme aquí unos días. —Hablaba con la boca llena, pero estaba tan hambriento que no cesaba de engullir—. Siéntense, hagan el favor.— Hice ademán de levantarme, pero ellos se sentaron antes de que me pusiera de pie.

Pedí que nos trajeran otra jarra de vino tinto.

—No pudiste elegir un lugar más encantador —dijo el anciano, que parecía muy sagaz—. Por eso me alegro de que Dios haya enviado a mi hijo de regreso aquí, para que oficie en nuestra iglesia y viva junto a su familia.

—Ah, ¿de modo que son padre e hijo? —pregunté.

—Sí —respondió el padre—, y nunca pensé que viviría para ver tanta prosperidad en esta población. Es prodigioso.

—En efecto, es una bendición de Dios —admitió el sacerdote con tono ingenuo y sincero—. Es un auténtico milagro.

—Qué interesante. ¿Y cómo se ha producido ese milagro? —pregunté.

Les acerqué la bandeja de fruta, pero los dos dijeron que ya habían comido.

—En mis tiempos padecimos numerosas desgracias —dijo el padre—, al menos eso me parecía a mí. Pero ahora este lugar se ha convertido en un paraíso. Jamás ocurre nada malo.

—Es cierto —apostilló el sacerdote—. Recuerdo que antiguamente había unos leprosos que vivían en las afueras de la población. Pues bien, ahora ya no existen. También había unos cuantos jóvenes muy conflictivos, unos delincuentes, que no cesaban de causar problema, como los hay en todas las poblaciones. Pero ahora no encontrarás un solo delincuente en toda Santa Maddalana ni en ninguna aldea de los alrededores. Se diría que la gente ha regresado a Dios con gran fervor.

—Sí —admitió el anciano con aspecto de duendecillo—. Y Dios se ha mostrado misericordioso en multitud de aspectos.

Sentí que un escalofrío me recorría la espalda, al igual que me sucediera con Ursula, pero esta vez no de placer.

—¿En qué aspectos en concreto? —pregunté.

—No tienes más que mirar alrededor —respondió el anciano—. ¿Has visto a algún tullido en nuestras calles? ¿A algún retrasado mental? Cuando yo era niño, incluso siendo tú una criatura —puntualizó dirigiéndose al sacerdote—, siempre había unos desdichados que nacían deformes, o idiotas, y los demás teníamos que ocuparnos de ellos. Recuerdo la época en que siempre había pedigüeños a las puertas de la población. Hace años que aquí no hay un solo pordiosero.

—Es asombroso —contesté.

—Así es —admitió el sacerdote con aire pensativo—. Todos los habitantes de esta población gozan de buena salud. Por eso las monjas se marcharon hace tiempo. ¿Has visto el viejo hospital que ahora está cerrado? ¿Y el convento en las afueras de la población, abandonado desde hace años? Hoy en día alberga a unas ovejas. Los campesinos utilizan sus viejas dependencias.

—¿Nadie se pone nunca enfermo? —inquirí.

—Sí, por supuesto —respondió el sacerdote mientras bebía un pequeño sorbo de vino, lo cual indicaba que era un hombre moderado en ese aspecto—. Pero no sufren como antaño. Cuando una persona muere, la muerte le sobreviene en el acto.

—Gracias a Dios —apostilló el anciano.

—Y las mujeres —dijo el sacerdote— tienen pocos partos. No se cargan de hijos. Muchos suben al cielo a las pocas semanas de nacer (ya sabes, la maldición de la madre), pero por lo general nuestras familias son reducidas. —El sacerdote miró a su padre—. Mi pobre madre —añadió— tuvo en total veinte hijos. Eso ahora sería impensable.

El anciano hinchó el pecho y sonrió ufano.

—Sí, veinte hijos que yo mismo crié; muchos se han emancipado y ni siquiera sé qué fue de..., pero da lo mismo. Sí, las familias aquí son reducidas.

—Confío en que algún día Dios me permita averiguar qué fue de mis hermanos —comentó el sacerdote con aire entre perplejo y preocupado.

—Olvídate de ellos —replicó el anciano.

—¿Eran acaso unos jóvenes rebeldes? —inquirí tímidamente al padre y al hijo, procurando dar un tono natural a mi pregunta.

—Mala gente —masculló el sacerdote meneando la cabeza—. Pero no deja de ser una bendición que la mala gente se vaya de aquí.

—Ya —comenté.

El anciano se rascó el sonrosado cráneo. Tenía el pelo canoso, largo y escaso, encrespado como las cejas.

—Intentaba recordar qué fue de esos tullidos —dijo—; me refiero a esos desdichados que nacieron con las piernas deformes, que eran hermanos...

—Ah, Tomasso y Felix —respondió el sacerdote.

—Sí.

—Los llevaron a Bolonia para que se curaran. Igual que al chico de Bettina, que nació sin manos. ¿Lo recuerdas? Pobre niño.

—Sí, sí, por supuesto. Aquí tenemos varios médicos.

—¿De veras? —dije—. Me gustaría saber qué hacen —farfullé entre dientes—. ¿Y la alcaldía, el *gonfalonier*? —pregunté. El título de *gonfalonier* correspondía al gobernador de Florencia, el hombre que, al menos oficialmente, dirigía los asuntos de la población.

—Tenemos un *borsellino* —contestó el sacerdote—; periódicamente elegimos seis u ocho nuevos nombres, pero aquí nunca ocurre nada de particular. No se producen altercados. Los comerciantes se ocupan de los impuestos. Todo funciona como la seda.

—¡Aquí no pagamos impuestos! —declaró el anciano duendecillo con una carcajada.

Su hijo, el cura, miró extrañado al anciano, como si éste no hubiera debido decir aquello.

—No es así, papá, son unos impuestos... reducidos. —El joven parecía profundamente perplejo.

—Eso sí es una bendición —comenté sonriente, tratando de disimular el estupor que me causaba aquel cuadro tan idílico como inverosímil.

—¿Recuerdas al feroz Oviso? —preguntó de sopetón el sacerdote dirigiéndose a su padre, para volverse luego hacia mí—. Estaba loco. Por poco mata a su hijo. Estaba ido, rugía como una bestia. Un día apareció un médico que viajaba por esta región y dijo que en Padua podían curarlo. ¿O era en Asís?

—Me alegro de que no volviera a aparecer por aquí —respondió el anciano—. Soliviantaba a todo el mundo.

Observé a ambos hombres. ¿Hablaban en serio? ¿O se burlaban de mí? No advertí nada sospechoso en ellos, salvo cierto aire melancólico en el sacerdote.

—Los caminos del Señor son muy extraños —dijo—. Aunque el proverbio no diga eso exactamente.

—¡No tientes al Señor! —replicó el padre mientras apuraba la copa de vino.

Yo me apresuré a llenar de nuevo las copas de ambos.

—Y aquel joven mudo —dijo una voz.

Levanté los ojos y vi al posadero junto a nosotros; tenía una mano apoyada en la cadera y sostenía una bandeja con la otra. Lucía un mandil que apenas cubría su prominente barriga.

—Se lo llevaron las monjas, ¿no es así?

—Sí, creo que regresaron en busca de él —contestó el sacerdote, cuya perplejidad había dado paso a una expresión de evidente inquietud.

El posadero retiró mi plato vacío.

—Lo peor fue la peste —me susurró al oído—. No tema, ya no existe; de lo contrario no habría pronunciado esa palabra. No existe palabra más capaz de hacer que todo el mundo abandone rápidamente una población.

—Todas esas familias desaparecieron de la noche a la mañana —dijo el anciano—, gracias a nuestros médicos y a los monjes que visitaban la región. Las trasladaron al hospital de Florencia.

—¿Víctimas de la peste y se las llevaron a Florencia? —pregunté con evidente incredulidad—. Pero ¿quién custodiaba las puertas de la población, y quién les franqueó la entrada en Florencia?

El franciscano me miró unos instantes, como si algo le preocupara intensamente.

El posadero estrujó con afabilidad el hombro del cura y dijo:

—Éstos son unos tiempos felices. Echo de menos la procesión al monasterio, el cual también ha desaparecido, pero nunca hemos vivido mejor.

Yo miré al posadero y luego al sacerdote, que me observaba sin disimulo. Las comisuras de sus labios temblaban ligeramente. Mostraba una barba de dos días, la mandíbula fláccida y el rostro surcado de arrugas exhibía una expresión triste.

El anciano intervino para asegurar que hacía poco había muerto una familia entera a causa de la peste en la región, pero se los habían llevado a Lucca.

—Fue gracias a la generosidad de... ¿quién fue, hijo mío...? Ahora mismo no...

—¿Qué más da? —terció el posadero—. Le traeré otra jarra de vino, *signore* —añadió dirigiéndose a mí.

—Para mis convidados —indiqué señalando al cura y a su padre—. Me voy. Estoy impaciente por ver si encuentro unos libros que busco.

—Has elegido un buen lugar para quedarte unos días —afirmó el cura con inopinada convicción, expresándose con suavidad al tiempo que seguía observándome con el ceño fruncido—. Un lugar magnífico, sí señor, y nos vendrá bien contar con otro erudito. Sin embargo...

—Soy muy joven —respondí mientras alzaba una pierna sobre el banco en ademán de levantarme—. A propósito, ¿no hay jóvenes de mi edad en este lugar?

—Todos se marchan —contestó el anciano con aire de duendecillo—. Hay algunos, claro está, pero trabajan todo el día en los comercios de sus padres. No encontrarás a jóvenes haraganes por las calles, te lo aseguro.

El sacerdote me observó como si no oyera la voz de su padre.

—Sí, y tú eres un joven instruido —afirmó, aunque seguía visiblemente preocupado—. Es evidente, se nota en tu voz; das la impresión de ser estudioso e inteligente... —Se detuvo—. Supongo que no tardarás en partir de nuevo, ¿verdad?

—¿Me aconseja que lo haga, padre? —pregunté—. ¿O que me quede? —añadí con tono amable.

El sacerdote esbozó una sonrisa.

—No lo sé —contestó. Luego adoptó una expresión amarga, casi trágica, y murmuró—: Que Dios te acompañe.

Me incliné hacia él. El posadero, al observar ese gesto confidencial, dio media vuelta y fue a atender sus asuntos. El anciano duendecillo le hablaba a su copa de vino.

—¿Qué ocurre, padre? —pregunté en voz baja—. ¿Le preocupa la prosperidad de que goza esta población?

—Sigue tu camino, hijo mío —respondió el sacerdote con tristeza—. Ojalá yo pudiera marcharme. Pero estoy obligado a quedarme por mi voto de obediencia y por el hecho de que éste es mi hogar, mi padre vive aquí y todos los demás han desaparecido en el ancho mundo. —A continuación agregó con tono áspero—: Al menos, eso parece. Si yo estuviera en tu lugar no me quedaría aquí.

Yo asentí con un movimiento de la cabeza.

—Tienes un aspecto extraño, hijo —dijo el cura sin alzar la voz. Nuestras cabezas estaban tan juntas que casi se rozaban—. Destacas demasiado. Eres apuesto, vistes ropajes de terciopelo y eres joven, aunque no un niño.

—Comprendo. No quedan muchos jóvenes en la población, y menos de los que hacen preguntas. Sólo quedan los viejos, los acomodaticios, los resignados y los que no ven el conjunto del tapiz porque sólo se fijan en el monito que hay bordado en una esquina.

El cura no respondió a mi exagerada perorata, y lamenté haber dicho aquello. En esos instantes había dejado traslucir mi rabia y mi dolor. ¡Qué torpeza! Estaba furioso conmigo mismo.

El sacerdote se mordió el labio inferior como si estuviera preocupado por mí, o por él, o por ambos.

—¿Por qué has venido? —preguntó en tono sincero, casi como si quisiera protegerme—. ¿Qué camino tomaste? Dicen que llegaste por la noche. No emprendas viaje de noche. —Su voz apenas era audible.

—No se preocupe por mí, padre —contesté—. Rece por mí. Eso es todo.

Observé en él un temor tan real como el que había observado en el joven sacerdote, pero era aún más inocente, a pesar de la edad, las arrugas y los labios húmedos de vino. Parecía fatigado por algo que no alcanzaba a comprender.

Me levanté del banco, pero cuando me disponía a marcharme el sacerdote me sujetó de la mano. Yo me incliné y acerqué el oído a sus labios.

—Hijo mío —musitó—, hay algo que...

—Lo sé, padre —lo interrumpí, dándole una palmada en la mano.

—No, no lo sabes. Escucha. Cuando partas, toma la carretera principal que se dirige al sur, aunque tengas que dar un rodeo. No te dirijas al norte, no tomes la carretera estrecha que conduce al norte.

—¿Por qué? —inquirí.

Indeciso, asustado, mudo, me soltó la mano.

—¿Por qué? —le pregunté de nuevo al oído.

Él apartó la cara.

—Por los bandidos —contestó—. Unos bandidos que controlan la carretera y te obligarán a pagar un portazgo. Ve al sur.

Después se volvió y comenzó a hablar con su padre, reprendiéndole con suavidad, como si yo ya me hubiera alejado.

Me marché.

«¿Unos bandidos que cobran portazgo?», me pregunté, intrigado, al llegar a la calle desierta.

Muchos comercios estaban cerrados, como era costumbre debido al copioso almuerzo que tomaban los habitantes de esta población, pero otros no.

La espada me pesaba muchísimo y me sentía mareado debido al vino y a todo cuanto me habían revelado esos hombres.

«De modo que en esta población no hay jóvenes, tullidos, idiotas, enfermos ni niños no deseados. Y en la carretera del norte pululan unos bandidos peligrosos», pensé con las mejillas encendidas.

Bajé la cuesta a paso rápido, traspuse las puertas de la población y salí a campo abierto. Soplaba una brisa magnífica que me refrescó el rostro.

Alrededor contemplé unos campos cultivados, unos viñedos, unos huertos y numerosas casas de labranza: unas vistas frondosas y fértiles que no había visto a mi llegada porque ya era de noche. En cuanto a la carretera del norte, no logré vislumbrarla debido al inmenso tamaño de la población, cuyas elevadas fortificaciones se hallaban situadas al norte.

Más abajo, en un saliente, estaban las ruinas del convento, y a los pies de la montaña, hacia el oeste, divisé lo que deduje que era el antiguo monasterio.

Al cabo de una hora me había detenido en dos casas de labranza, en las cuales los granjeros me ofrecieron un vaso de agua fresca.

Todos insistían en lo mismo: esto era un paraíso donde no existían herejes ni se llevaban a cabo ejecuciones; en suma, el lugar más idílico de la tierra, poblado sólo por niños sanos y normales.

Hacía muchos años que los bandidos no se aventuraban por esos bosques. Por supuesto, siempre era posible cruzarse con algún indeseable que estaba de paso, pero la población era fuerte y capaz de mantener la paz.

—¿Ni siquiera en la carretera del norte? —pregunté.

Ninguno de los granjeros sabía nada de una carretera que condujera al norte.

Cuando les pregunté qué había sido de los enfermos, cojos y retrasados mentales, tampoco obtuve una repuesta satisfactoria. Un médico o un sacerdote, o alguna orden de frailes o monjas, se los habían llevado a una universidad o a una población. Los granjeros en verdad no lo recordaban.

Regresé a la población antes del crepúsculo. Paseé todavía durante un rato, entrando en todos los comercios de forma sistemática mientras observaba a todo el mundo de forma tan detenida como pude para no llamar la atención.

Por supuesto, me fue imposible recorrer una calle entera, pero estaba empeñado en averiguar todo cuanto pudiera sobre aquel lugar.

En las librerías examiné unos tomos antiguos, *Ars Grammatica* y *Ars Minor*, y unas grandes y hermosas biblias que estaban en venta; las examiné después de pedir que las sacaran de la vitrina.

—¿Por dónde he de tirar para dirigirme hacia el norte? —pregunté al librero, que estaba apoyado sobre un codo y me observaba con aire aburrido y somnoliento.

—¿Al norte? Nadie se dirige al norte —replicó, bostezando en mis narices. Lucía unas prendas elegantes, sin un zurcido, y unos zapatos de excelente cuero—. Puedo ofrecerle unos libros más raros —añadió.

Tras ojearlos con fingido interés, dije educadamente que se parecían a unos libros que ya tenía y no necesitaba adquirirlos, pero le di las gracias por las molestias.

Entré en una taberna donde unos hombres jugaban a los dados; gritaban muy excitados cada vez que ganaban o perdían, como si no tuvieran nada mejor que hacer. Luego di una vuelta por el barrio de los panaderos, donde flotaba un delicioso aroma a pan recién horneado.

Mientras paseaba entre esas gentes, escuchando su amable cháchara y las interminables historias sobre la seguridad y las maravillas de la población, me percaté de que jamás me había sentido tan solo.

El mero hecho de pensar que estaba a punto de anochecer hizo que se me helara la sangre en las venas. ¿Y qué era ese misterio sobre la carretera del norte? Nadie, salvo el sacerdote, arqueó siquiera una ceja al mencionar yo ese punto cardinal.

Una hora antes del anochecer entré en un comercio cuya propietaria, que trataba en sedas y encajes de Venecia y Florencia, no se mostró tan paciente ante mis insistentes preguntas como los demás, pese a que era obvio que yo era un joven adinerado.

—¿Por qué me hace tantas preguntas? —inquirió. Parecía agotada—. ¿Cree que es fácil cuidar de una criatura enferma? Asómese allí.

Yo la miré como si la mujer hubiera perdido el juicio. Pero de pronto comprendí con toda claridad a qué se refería. Asomé la cabeza a través de una cortina y vi a una niña, enferma y febril, adormilada sobre un estrecho y sucio camastro.

—¿Cree que es fácil? Llevo año tras año cuidando de ella, pero no mejora —dijo la mujer.

—Lo lamento —respondí—. Pero ¿qué va a hacer?

La mujer arrancó los puntos de la aguja y dejó la labor. Su paciencia se había agotado.

—¿Qué voy a hacer? ¿Es que no lo sabe? —murmuró—. ¿Un hombre tan listo como usted? —La mujer se mordió el labio inferior—. Mi marido insiste en que aguantemos un poco más, de modo que vamos tirando como podemos.

La mujer reanudó su labor, farfullando entre dientes, y yo, horrorizado y esforzándome en dominar mis sentimientos, salí a la calle. Entré en otros dos comercios. No ocurrió nada de particular. Luego, al entrar en una tercera tienda, me encontré con un anciano loco de remate y sus dos hijas, las cuales se afanaban en impedir que se arrancara la ropa.

—Permítanme que les ayude —dije.

Por fin logramos sentar al anciano en una silla, le colocamos de nuevo la camisa y al cabo de un rato el hombre dejó de emitir unos sonidos incoherentes. Era un anciano decrépito y no cesaba de babear.

—Gracias a Dios que esto no puede durar —comentó una de las hijas al tiempo que se enjugaba la frente—. Es un consuelo.

—¿Por qué dice que no puede durar? —pregunté.

La mujer me miró, giró la cara y luego volvió a mirarme.

—Se nota que es usted forastero, *signore*. Disculpe, es muy joven. Al mirarle sólo he visto en usted a un muchacho. Pero Dios es misericordioso. Mi padre está muy viejo.

—Hummm, entiendo —respondí.

La mujer me observó con ojos astutos y fríos como el acero.

Me despedí de ella con una breve reverencia y me fui. El anciano había empezado a quitarse de nuevo la camisa, y la otra hermana, que había permanecido en silencio durante todo el rato, le arreó un bofetón.

Ese gesto me chocó, y reanudé mi camino. Deseaba ver cuanto pudiera antes de que cayera la noche.

Después de pasar por el apacible barrio de las sastrerías llegué al de los comercios de porcelana, donde dos hombres discutían sobre una bonita bandeja de parto.

Las bandejas de parto que se utilizaban antiguamente para recibir al bebé en el momento de abandonar el útero materno, se habían convertido en mi época en objetos que se solían regalar después de nacer el niño. Consistían en unos recipientes grandes pintados con hermosos diseños domésticos, y en esta tienda había una gran colección de ellos.

Oí la discusión antes de que los hombres me vieran.

Uno de ellos insistía en que debían comprar la bandeja de marras, mientras que el otro replicaba que el niño no viviría y el regalo era prematuro; un tercer individuo dijo que la mujer estaría encantada de aceptar una bandeja de parto tan exquisitamente pintada.

Los hombres dejaron de discutir cuando yo entré en la tienda para examinar los artículos de importación, pero cuando me volví de espaldas uno de ellos murmuró entre dientes:

—Si sabe lo que le conviene, accederá.

Impresionado por esas palabras, tomé un bonito plato de un estante y fingí examinarlo con atención.

—Es precioso —comenté como si no los hubiera oído.

El comerciante se levantó y comenzó a enumerar los objetos que allí se exhibían. Los otros salieron y se desvanecieron en la oscuridad. Yo observé al comerciante.

—¿Está enfermo ese niño? —pregunté con la voz más tenue e infantil que logré emitir.

—No, bueno, no lo creo, pero ya sabe... —respondió el hombre—. Es un niño enclenque.

—Débil —apostillé.

—Eso, débil —balbució el comerciante.

Tenía una sonrisa artificial, pero era evidente que se consideraba un hombre de éxito.

Luego seguimos comentando la lista de artículos que vendía en su tienda. Yo adquirí una tacita de porcelana, exquisitamente pintada, que el comerciante aseguró haber comprado a un veneciano.

Sé muy bien que debería haber salido de allí sin decir una palabra, pero no pude por menos de preguntarle:

—¿Cree que ese pobre niño débil y enclenque vivirá?

El comerciante soltó una tosca risotada al tiempo que guardaba el dinero que yo le había entregado.

—No —respondió, y me miró como si él también hubiera pensado en el niño—. No se preocupe, *signore* —añadió con una breve sonrisa—. ¿Piensa quedarse a vivir aquí?

—No, señor, sólo estoy de paso. Me dirijo al norte —contesté.

—¿Al norte? —preguntó el comerciante, un tanto sorprendido pero con tono sarcástico. Cerró la caja de caudales con llave. Luego, sacudiendo la cabeza mientras colocaba la caja en una alacena y la cerraba, agregó—: De modo que se dirige al norte, ¿eh? Le deseo suerte, muchacho. —Entonces emitió una áspera carcajada—. Es una carretera muy antigua. Le aconsejo que parta al amanecer y cabalgue tan veloz como pueda.

—Gracias, señor —respondí.

Estaba a punto de caer la noche.

Entré a toda prisa en un callejón y me detuve, apoyado contra el muro para recuperar el resuello, como si me persiguiera alguien. La tacita se me cayó de las manos y se estrelló en el suelo; el estrépito resonó entre los elevados edificios.

Estaba trastornado.

Pero al instante, consciente de mi situación y convencido de los horrores que había descubierto, tomé una decisión inflexible.

En la posada no estaba seguro, de modo que decidí resolver el asunto a mi modo.

Esto fue lo que hice: absteniéndome de regresar a la posada, sin ni siquiera abandonar oficialmente mi habitación en aquel lugar, me dirigí colina arriba cuando las sombras eran lo bastante densas para ocultarme, y enfilé la estrecha calleja que conducía al derruido castillo.

Durante todo el día había contemplado esta imponente colección de piedras y cascotes, y constaté que en efecto el castillo se hallaba en ruinas y desierto, a excepción de las aves que revoloteaban sobre él y salvo, como he dicho, las plantas inferiores, que supuestamente albergaban las oficinas municipales.

Pero el castillo tenía dos torres que seguían en pie; una se alzaba sobre la población, y otra, muy deteriorada, estaba situada sobre el borde de un risco, tal como yo había observado desde los campos.

Pues bien, me dirigí hacia la torre que se erguía sobre la población.

Las oficinas municipales estaban lógicamente cerradas, y los soldados encargados de imponer el toque de queda no tardarían en salir. Oí ruido procedente de un par de tabernas que por lo visto permanecían abiertas, ajenas a las ordenanzas.

La plaza ubicada frente al castillo estaba desierta, y debido a que las calles de la población describían numerosos recodos en su trazado descendente, apenas vi nada más que unas tenues antorchas.

No obstante el cielo aparecía extraordinariamente brillante y despejado a excepción de unas nubes de forma discreta y redondeada que destacaban contra el azul intenso de la noche, y las numerosas estrellas emitían un exquisito resplandor.

Me tropecé con una vieja escalera de caracol, tan estrecha que apenas pasaba por ella un ser humano, la cual se curvaba alrededor de la parte útil de la vieja población y llevaba a la primera plataforma de piedra, frente a una entrada de acceso a la torre.

Por supuesto esta arquitectura no me resultaba desconocida. Las piedras tenían una textura más áspera que las de mi viejo hogar, y eran más oscuras, pero la torre era ancha y cuadrada y poseía una solidez intemporal.

Yo sabía que la torre era tan antigua que una escalera de piedra me conduciría a la parte superior de la misma, y no me equivoqué, pues al poco rato llegué al fin de mi escalada, al penetrar en una habitación desde la que contemplé toda la población a mis pies.

Había otras habitaciones más elevadas, a las que antiguamente se llegaba mediante unas escalas de madera de las que podían tirar hacia arriba con el fin de defenderse de un enemigo y aislarlo abajo, pero yo no podía acceder a ellas. Oí a unos pájaros revolotear en lo alto de la torre, sobresaltados por mi presencia. Y percibí el rumor de la brisa.

En cualquier caso, aquélla era una buena altura.

La habitación en la que me hallaba tenía cuatro ventanas angostas, a través de las cuales contemplé unas vistas de todo el área circundante.

Y, lo que era más importante para mí, desde aquella altura divisaba toda la población, que se extendía a mis pies en forma de un inmenso ojo (un óvalo que se afinaba en los extremos), donde ardían unas antorchas aquí y allá; vi luz en alguna que otra ventana, y divisé una linterna sostenida por una persona que avanzaba lentamente en una calle.

No bien distinguí la linterna, ésta se apagó. Las calles parecían estar desiertas.

A continuación se apagaron las luces de todas las ventanas, y al cabo de unos momentos tan sólo quedaban unas cuatro antorchas encendidas.

La oscuridad ejerció un efecto sedante sobre mi ánimo. Los campos aparecían teñidos de un color azul intenso bajo el cielo perlado; el bosque se extendía hasta los límites de las tierras de cultivo, elevándose en algunos puntos donde las colinas se alzaban unas sobre otras o descendían abruptamente hacia unos valles presididos por la más pura negrura.

Percibí el silencio de la torre desierta.

No se movía nada, ni siquiera las aves. Yo estaba completamente solo. Habría percibido la más leve pisada en la escalera de la torre. Nadie sabía que me encontraba allí. Todos dormían.

Ahí estaba a salvo. Y podía vigilar la población.

Me sentía demasiado afligido para mostrarme asustado, y estaba más que dispuesto a enfrentarme a Ursula en ese lugar, preferible al espacio limitado de la posada. Así pues, recé mis oraciones sin experimentar temor alguno, con la mano apoyada como de costumbre en la empuñadura de la espada.

¿Qué esperaba ver en esa apacible población? Todo lo que ocurriera en ella.

Pero ¿qué creía que ocurría? Ni yo mismo lo sabía.

Mientras paseaba por la habitación, observando una y otra vez las pocas luces que ardían en la población y los enormes baluartes cortados a pico bajo el resplandeciente firmamento, aquel lugar me pareció detestable, lleno de falsedad, de brujería, de pleitesía al diablo.

—¿Crees que no sé adónde van a parar los niños que no quieren en la población? —murmuré enfurecido—. ¿Crees que las autoridades de las poblaciones franquean sin más trámite la entrada a unas víctimas de la peste?

Me sobresalté al oír resonar el eco de mis palabras entre los fríos muros de la torre.

—¿Qué haces con ellos, Ursula? ¿Qué habrías hecho con mi hermano y mi hermana?

Quizá mis cavilaciones a algunos les hubieran parecido un despropósito, pero yo sabía por experiencia que la venganza hace que olvides el dolor. La venganza es una golosina dulce y poderosa, aunque inútil.

Con un solo golpe de mi espada habría podido cortarle la cabeza a Ursula, y luego la habría arrojado por esta ventana, reduciéndola a un ser demoníaco desprovisto de todo poder terrenal.

De vez en cuando desenvainaba a medias mi espada, pero enseguida volvía a introducirla en su funda. Saqué mi puñal más largo y golpeé con la hoja la palma de mi mano izquierda. Todo ello sin dejar de caminar arriba y abajo por la habitación.

De pronto, mientras realizaba uno de mis aburridos circunloquios divisé a lo lejos, sobre una remota montaña que ignoro en qué dirección se alzaba (sólo sé que al venir aquí no había pasado frente a ella), una luz intensa que parpadeaba tras el velo de selvática oscuridad.

Al principio creí que se trataba de un fuego, pero al entornar los ojos y observarlo más detenidamente, comprendí que estaba equivocado.

En las pocas nubes que se deslizaban por el cielo no se reflejaba un intenso resplandor, y la iluminación, pese a sus proporciones, estaba contenida, como si emanara de una numerosa congregación de personas que portaban una fantástica cantidad de velas. ¡Cuán firme aunque parpadeante era aquella feroz orgía de luz!

Al contemplarla sentí un escalofrío. ¡Era un edificio! Me incliné sobre el alféizar de la ventana y observé la compleja y gigantesca silueta de un castillo inundado de luz que destacaba en medio del terreno, aislado, obviamente visible desde un sector de la población. La imagen de aquella descomunal construcción rodeada por un bosque, en la que la celebración que se llevaba a cabo entre sus muros requería que todas las velas y antorchas estuvieran encendidas, que cada ventana, baluarte y albardilla apareciera iluminada con linternas, constituía un espectáculo impresionante.

El edificio estaba situado al norte, sí al norte, pues la población se extendía justamente a mis espaldas, y ese castillo se hallaba al norte, en la dirección que me habían advertido que no debía tomar. Era inconcebible que los habitantes de la población desconocieran la existencia de ese lugar, pero nadie, salvo el aterrorizado y balbuciente franciscano que se había sentado a mi mesa en la posada, había hecho la menor alusión al mismo.

Pero ¿qué era lo que observaba yo? ¿Qué veía exactamente? Un frondoso bosque, sí; el edificio era muy elevado pero estaba rodeado por un tupido bosque que lo ocultaba, a través del cual su luz palpitaba como una gigantesca amenaza. Pero ¿qué era lo que emanaba de él, ese extraño movimiento apenas visible en la oscuridad, sobre las laderas del misterioso promontorio?

¿Se trataba de algo que se movía en la noche, desde ese lejano castillo hacia la población? Eran unas cosas negras, amorfas, semejantes a unas inmensas, informes y flexibles aves que seguían el trazado del terreno pero sin estar sometidas a su gravedad. ¿Era posible que avanzaran hacia mí? ¿Había sido yo víctima de un conjuro?

No, yo las vi. ¿O no?

Formaban un grupo muy numeroso.

Cada vez estaban más cerca.

Eran unas formas menudas, minúsculas; su gran tamaño había sido un espejismo causado por el hecho de que se movían en grupos, y ahora, al aproximarse a la población, los grupos se disolvieron y los vi trepar como unas polillas gigantescas por los muros que se alzaban frente a mí, a ambos lados de la torre.

Me volví y corrí hacia la ventana.

¡Cayeron sobre la población como un enjambre de abejas! Vi que desaparecían engullidos por la oscuridad. Más abajo, en la plaza, aparecieron dos figuras negras, unos individuos cubiertos con unas ondeantes capas, que penetraron a la carrera o, mejor dicho, de un salto en las calles al tiempo que emitían unas carcajadas tan audibles como desvergonzadas.

Oí unos lloriqueos, unos sollozos.

Oí un débil gemido y un grito sofocado.

En la población no se encendió una sola luz.

De pronto, esos seres malévolos surgieron de nuevo de la oscuridad, sobre las murallas, corriendo por el borde de las mismas y saltando a la calle.

—¡Por todos los santos! —murmuré—. ¡Os he visto, malditos!

En aquel instante oí un ruido, noté que un tejido suave me rozaba la cara y de golpe apareció ante mí la figura de un hombre.

—¿De modo que nos has visto, muchacho? —Era la voz de un hombre joven, enérgica, jovial—. ¡Qué chico tan curioso!

Se encontraba demasiado cerca para que yo pudiera desenvainar mi espada. Tan sólo vi alzarse ante mí unas prendas varoniles.

Haciendo acopio de todas mis fuerzas, le golpeé en la entrepierna con el codo y el hombro.

La risotada que soltó el desconocido invadió la torre.

—Eso no me ha dolido, jovencito, y si eres tan curioso, te llevaremos con nosotros para mostrarte lo que ansías ver.

El misterioso ser me envolvió en su capa, casi asfixiándome. Sentí que me alzaba en volandas y me metía en un saco, y abandonamos la torre.

Yo estaba boca abajo e intentaba contener mis náuseas. Parecía como si el misterioso personaje volara, emitiendo unas carcajadas sofocadas por el viento. Traté de mover los brazos, pero me fue imposible. Palpé mi espada, sin lograr asir la empuñadura.

Desesperado, quise coger mi puñal, no el que debió de caer cuando el extraño me raptó, sino el que llevaba dentro de mi bota, y tras conseguirlo me volví hacia la espalda sobre la que viajaba dando botes y protestando, y se lo hundí a través de la ropa una y otra vez.

El extraño lanzó un sonoro grito. Yo volví a clavarle el puñal.

El otro comenzó a agitar el saco en el aire, provocándome unas violentas sacudidas.

—¡Cerdo asqueroso! —bramó—. ¡Me las pagarás!

Ambos caímos bruscamente. Aterricé en el suelo, sobre la hierba, y desgarré el saco con mi puñal.

—¡Maldito bribón! —gritó el otro.

—¿Estás sangrando, repugnante demonio? —pregunté sin dejar de asestar puñaladas al saco para salir de él, mientras rodaba por el suelo y palpaba la hierba húmeda.

Contemplé las estrellas.

Por fin, tras no pocos esfuerzos, logré deshacerme del saco que me aprisionaba.

Permanecí tendido a los pies de aquel ser, pero sólo por unos instantes.

6

La Corte del Grial de Rubí

Nada ni nadie habría sido capaz de arrebatarme el puñal de las manos. Se lo clavé en la pierna hasta el hueso, provocando otra descarga de gritos. El demonio me tomó en brazos y me arrojó al aire, tras lo cual caí, pasmado, sobre la húmeda hierba.

Esto me permitió observarlo detenidamente por primera vez, aunque tenía la vista algo nublada. El extraño ser, iluminado por un intenso resplandor rojo, lucía una capa con capucha e iba ataviado como un caballero a la antigua usanza, con una larga túnica y una cota de malla. El cabello dorado le caía sobre el rostro, y no cesaba de retorcerse de dolor debido a las puñaladas que yo le había asestado en la espalda, al tiempo que propinaba patadas en el suelo con su pierna herida.

Rodé por el suelo un par de veces, sin soltar el puñal, mientras desenvainaba mi espada. Antes de que el otro reaccionase, me levanté de un salto, alcé la espada torpemente pero con todas mis fuerzas, y se la clavé en el costado; en el instante en que el acero se hundió en sus entrañas se produjo un nauseabundo sonido. Bajo la intensa luz vi brotar un chorro de sangre horrendo y descomunal.

El monstruo lanzó un grito más angustioso que los anteriores y cayó de rodillas.

—¡Ayudadme, imbéciles! ¡Libradme de este diablo! —gritó. La capucha se deslizó hacia atrás y cayó sobre los hombros.

Contemplé la inmensa fortificación que se alzaba a mi derecha, las elevadas torres almenadas con sus banderas ondeando al viento bajo el oscilante resplandor de un sinfín de luces, tal como había visto a lo lejos desde la población.

Se trataba de un castillo fantástico; poseía unos tejados de dos aguas, unas ventanas de arco ojival alargado y unas elevadas almenas repletas de figuras oscuras que se movían mientras presenciaban la pelea que sosteníamos el monstruoso ser y yo.

De pronto apareció Ursula y echó a correr a través de la hierba hacia mí. No llevaba capa; iba ataviada con un vestido rojo y lucía dos largas trenzas.

—¡No le lastiméis, os lo advierto! —gritó—. ¡No le pongáis la mano encima!

La seguían unos individuos ataviados con unas anticuadas cotas de malla que les llegaban a las rodillas y tocados con solemnes yelmos puntiagudos. Todos lucían barba, y tenía una piel de una blancura cadavérica.

Mi adversario cayó de bruces sobre la hierba, echando sangre por la boca como si se tratara de una grotesca fuente.

—¡Mirad lo que me ha hecho! —gritó.

Yo guardé el puñal en mi cinturón, aferré la espada con ambas manos y le asesté un golpe en el cuello al tiempo que lanzaba un desgarrador bramido. La cabeza de mi adversario rodó por la colina.

—¡Estás muerto, maldito! —grité—. ¡Monstruo, asesino, estás muerto! ¡Ve en busca de tu cabeza y colócala de nuevo en su lugar!

Ursula me rodeó el cuello con los brazos, oprimiendo sus pechos contra mi espalda. Su mano aprisionó la mía, obligándome a inclinar la punta de mi espada hacia el suelo.

—No le toquéis —exclamó de nuevo en tono amenazador—. Os prohíbo que os acerquéis a él.

Uno de los demonios se apresuró a recuperar la cabeza de mi enemigo, cubierta por una rubia pelambrera, y la sostuvo en alto mientras los otros observaban cómo el cuerpo de su compinche se estremecía y retorcía.

—Es demasiado tarde —dictaminó uno de los individuos.

—No, colócasela de nuevo sobre el cuello —exclamó otro.

—Suéltame, Ursula —dije—. ¡Permite que muera con honor, te lo ruego! —añadí mientras trataba de liberarme—. ¡Suéltame para que pueda morir como yo deseo, te lo suplico!

—No —me susurró ella al oído, arrojándome su cálido aliento—. No lo haré.

Yo no podía luchar con su imponente fuerza, que contrastaba con los pechos suaves y mullidos y el tacto fresco de sus delicados dedos. Me tenía en su poder.

—Id a hablar con Godric —propuso uno de los hombres.

Los otros dos recogieron el cuerpo del decapitado, que no cesaba de retorcerse, sacudido por violentas convulsiones.

—Conducidlo ante Godric —dijo el individuo que portaba la cabeza—. Sólo él puede pronunciarse sobre este asunto.

De repente, Ursula emitió un sonoro alarido.

—¡Godric! —Fue un grito tan agudo que parecía el aullido del viento o de una bestia, y el inmenso eco reverberó entre las elevadas murallas.

En lo alto de la colina, frente al amplio portal de la ciudadela y de espaldas a la luz, apareció la silueta de un individuo alto y delgado; su espalda estaba doblada a causa de la avanzada edad.

—Traedlos a los dos —ordenó—. Silencio, Ursula, vas a alarmar a todo el mundo con tus gritos.

Yo traté de soltarme, pero Ursula me sujetó con más fuerza. De pronto sentí un alfilerazo cuando sus dientes se clavaron en mi cuello.

—¡No lo hagas, Ursula, deja que contemple lo que va a ocurrir! —murmuré.

Entonces sentí que me rodeaban unas turbias nubes, como si el aire se hubiera espesado y me envolviera con su intensa fragancia y sonido y una fuerza sensual.

«Te amo, te deseo, sí, no puedo negarlo.» Sentí que abrazaba a Ursula sobre la húmeda hierba del prado y ella yacía debajo de mí. Pero eran meras ensoñaciones y no vi unas flores silvestres rojas, sino que noté que me transportaban a un lugar desconocido, y yo estaba inerme, pues ella me había arrebatado las fuerzas y el corazón con la fuerza del suyo.

Intenté maldecirla. Yacíamos sobre la hierba, rodeados de flores y hierba, y ella dijo: «Huye», pero eso era imposible, porque no se basaba en la realidad sino en una fantasía en la que sus labios succionaban los míos y sus piernas aprisionaban mi cuerpo como una serpiente.

Un castillo francés. Tuve la impresión de que me hallaba en el norte. Tenía los ojos abiertos.

Presentaba todos los aderezos de una corte francesa.

Incluso la tenue y suave música que percibí me recordó las antiguas canciones francesas que oyera cantar en mi infancia a la hora de la cena.

Al despertarme comprobé que me hallaba sentado con las piernas cruzadas al estilo oriental sobre una alfombra, con el torso inclinado hacia delante, frotándome el cuello y buscando desesperado las armas que me habían arrebatado. En éstas perdí el equilibrio y caí de espaldas.

La música, que procedía del piso inferior, era repetitiva, monótona, machacona, interpretada por unos tambores destemplados y la voz aguda y nasal de unas trompas. Carecía de melodía.

Alcé la vista. Era un ambiente francés, no cabía duda, con el elevado y estrecho arco que daba acceso a una amplia balconada exterior, debajo de la cual se celebraba un ruidoso festejo. Todo exhibía un exquisito aire francés, hasta los tapices que representaban a unas damas luciendo unos sombreros de elevada copa y sus unicornios blancos como la nieve.

Todo resultaba curiosamente anticuado, como las ilustraciones en los devocionarios de las cortes que mostraban a unos poetas sentados que leían en voz alta el aburrido y tedioso *Roman de la Rose*.

La ventana estaba cubierta por una cortina de raso azul estampada con flores de lis. La elevada puerta y el fragmento del marco de la ventana que alcanzaba a ver estaban decorados por una filigrana antigua. Las cómodas, con adornos dorados y pintadas al estilo francés, mostraban un aire anticuado y decadente.

Al volverme vi a los dos individuos con las túnicas manchadas de sangre; las mangas de las cotas de malla eran toscas y gruesas. Se habían quitado los puntiagudos yelmos y me observaban con unos ojos pálidos y fríos; ambos lucían barba. La luz ponía de realce su piel blanca y curtida.

Y vi a Ursula, una joya enmarcada en plata entre las sombras, que me contemplaba ataviada con un vestido de estilo imperio, vaporoso y anticuado como la vestimenta de los hombres; también ella parecía provenir de un antiguo reino francés, mostrando sus níveos pechos casi hasta los pezones debajo de un corpiño de terciopelo rojo y dorado bordado con flores.

El anciano estaba sentado en una silla con las patas en tijera, ante un escritorio. Su edad concordaba con la postura en que yo le había visto iluminado por el resplandor del castillo, pálido como los otros, con la piel de una blancura cadavérica, a la vez hermoso, monstruoso y siniestro.

Unas lámparas turcas colgaban de unas cadenas en la habitación; las llamas emitían un intenso resplandor que hirió mis fatigados ojos, y una fragancia a rosas y campos estivales ajena al calor y a objetos abrasados.

El anciano tenía la cabeza pelada, grotesca como el bulbo de una azucena arrancado de la tierra y desprovisto de su raíz, y mostraba unos brillantes ojos de color gris y una boca larga, estrecha y solemne que no tenía por costumbre quejarse ni juzgar.

—Ah, vaya —dijo dirigiéndose a mí con voz suave al tiempo que enarcaba una ceja apenas visible salvo por la pronunciada arruga de su carne blanca y perfecta. Tenía las mejillas fláccidas—. Supongo que eres consciente de que has matado a uno de los nuestros.

—Eso espero —repliqué.

Al levantarme me tambaleé y estuve a punto de caer. Ursula me sostuvo, tras lo cual retrocedió, como si hubiera cometido un acto indecoroso.

Tras recuperar el equilibrio miré con rabia a Ursula y al viejo pelón, que me observaba con calma.

—¿Deseas contemplar lo que has hecho? —preguntó.

—¿Para qué? —inquirí a mi vez, aunque me picaba la curiosidad.

A mi izquierda, sobre una mesa de caballete, yacía el ladrón de pelo dorado que había secuestrado mi alma y mi cuerpo, encerrándolos en un saco. La deuda estaba saldada.

El extraño ser yacía inmóvil, horriblemente encogido, como si sus miembros hubieran disminuido de tamaño; la cabeza blanca y exangüe, con los párpados abiertos y los ojos inyectados en sangre, yacía junto a un cuello separado toscamente del tronco por mi espada. Qué delicia. Observé una de las esqueléticas manos, que pendía sobre el borde de la mesa, blanca, semejante a un curioso animal marino que descansara en la arena de la playa bajo el implacable sol.

—¡Excelente! —exclamé—. Me alegro de haber matado a ese hombre que se atrevió a raptarme y traerme aquí por la fuerza. Gracias por mostrármelo —dije mirando al anciano—. Es lo menos que exige el honor. Por no hablar del sentido común. ¿A cuántos más os habéis llevado de la población? ¿Al viejo loco empeñado en arrancarse la camisa? ¿Al niño que nació enclenque? ¿A los débiles, deformes y enfermos que os entregan? ¿Qué les dais vosotros a cambio?

—Silencio, joven —ordenó de forma solemne el anciano—. Tu valor trasciende el honor y el más elemental sentido común, eso es evidente.

—No es cierto. Las atrocidades que habéis cometido contra mí exigen que luche contra todos y cada uno de vosotros hasta que exhale mi último suspiro. —Tras estas palabras me volví hacia la puerta. La machacona música me producía náuseas y amenazaba con derribarme al suelo tras los numerosos golpes y caídas que había sufrido—. No soporto ese ruido. ¿Qué es esto, una maldita corte?

Los tres hombres prorrumpieron en carcajadas.

—Casi has acertado —contestó uno de los soldados barbudos con la voz grave de un barítono—. Somos la Corte del Grial de Rubí, ése es nuestro nombre, pero preferimos que lo pronuncies como es debido, en latín o en francés, tal como hacemos nosotros.

—¡La Corte del Grial de Rubí! —exclamé—. Unas sabandijas, unos parásitos, unos vampiros, eso es lo que sois. ¿Qué significa «grial de rubí»? ¿Sangre?

Me esforcé en recordar el alfilerazo que sentí cuando Ursula me clavó los dientes en el cuello sin el intenso placer que me había procurado; pero el huidizo recuerdo del fragante prado y de los suaves pechos amenazaba con engullirme. Sacudí la cabeza para ahuyentar tales pensamientos.

—Sois unos vampiros. ¡El grial de rubí! ¿Eso es lo que hacéis con ellos, con los desdichados que os lleváis de la población? ¿Beber su sangre?

El anciano dirigió a Ursula una mirada cargada de significado.

—¿Qué pretendes de mí, Ursula? —preguntó—. ¿Cómo pretendes que acceda a tus deseos?

—Pero, Godric, es un joven apuesto, valeroso y fuerte —replicó Ursula—. Si accedes, nadie se opondrá a tu decisión. Nadie la pondrá en tela de juicio. Te lo suplico, Godric. ¿Cuándo te he implorado...?

—¿Qué le has implorado? —pregunté contemplando el rostro solícito y compungido de Ursula y el del anciano—. ¿Que me perdone la vida? ¿Eso es lo que le pides? Prefiero que me mates.

El anciano lo sabía. No era necesario que yo lo dijera. A esas alturas no estaba dispuesto a aceptar su misericordia. Me habría arrojado sobre ellos con el fin de aniquilar a un par más de demonios.

De pronto, movido por la ira y la impaciencia, el anciano se levantó con inusitada agilidad, me agarró del cuello y me arrastró tras él, entre el murmullo de sus elegantes ropajes de raso rojo, como si yo no pesara nada, a través de los arcos y hasta el borde de la balaustrada de piedra.

—Contempla nuestra corte —dijo.

Era un espacio inmenso. El balcón sobre el que nos hallábamos se prolongaba a lo largo de todo el muro; abajo apenas se divisaba un palmo de piedra desnuda, pues los muros estaban cubiertos por unos tapices de color dorado y borgoña. En torno a la larga mesa se hallaba sentado un nutrido número de caballeros y damas de alcurnia, todos vestidos de color borgoña, el color de la sangre, no del vino como yo había supuesto. Ante ellos resplandecía la madera desnuda, sobre la que no aparecía ni un plato de comida ni una copa de vino, pero todos parecían contentos y satisfechos mientras charlaban animadamente entre sí. Unos bailarines se deslizaban con gran habilidad sobre las gruesas alfombras, como si les gustara sentir su espeso tacto bajo los pies embutidos en unos elegantes escarpines.

Los numerosos círculos entrelazados de figuras que danzaban al compás de la música componían unos vistosos arabescos. Los trajes abarcaban una amplia variedad de estilos, desde el típicamente francés hasta el florentino. Por doquier abundaban alegres círculos de raso teñido de rojo o un prado rojo sembrado de flores u otros diseños semejante a unas estrellas o una media luna, aunque la distancia me impedía distinguirlos con nitidez.

Aquel grupo de gentes vestidas de un color vivo entre la pútrida intensidad de la sangre y el soberbio esplendor del escarlata, constituía una imagen siniestra y a la vez seductora.

Observé la infinidad de candeleros, candelabros y antorchas. Qué fácil habría sido prender fuego a sus ricos tapices. Me pregunté si ellos, esos demonios, arderían también al igual que otros brujos y herejes.

Ursula lanzó una breve exclamación de alarma.

—Sé prudente, Vittorio —murmuró.

Un individuo que estaba situado en el centro de la mesa alzó la cabeza y me miró; ocupaba el lugar de honor, sentado en una silla de respaldo alto, igual que mi padre en casa. Era rubio, como el de la pelambrera dorada y crespa que yo había matado, pero exhibía una sedosa cabellera, perfectamente peinada, que rozaba sus poderosos hombros. Tenía un rostro juvenil, mucho más que el de mi padre pero más avejentado que el mío, de una palidez tan sobrenatural como los demás. Tras observarme con sus ojos azules y penetrantes, volvió a contemplar a los bailarines.

La escena parecía estremecerse bajo las ardientes y oscilantes llamas, y pese a que los ojos me lagrimeaban debido a la densa atmósfera, observé espantado que las figuras bordadas en los tapices no eran las apacibles damas y unicornios que viera en el pequeño estudio donde habíamos estado antes, sino unos diablos que danzaban en el infierno. Debajo del balcón en el que nos hallábamos aparecían esculpidas unas grotescas gárgolas representadas en el más violento y feroz de los estilos, y en los capiteles de las columnas que se ramificaban y sostenían el techo observé otras criaturas demoníacas y aladas esculpidas en la piedra.

Por doquier, delante y detrás de mí, contemplé unos rostros contraídos en una mueca de maldad. Un tapiz mostraba los círculos del infierno de Dante superpuestos uno sobre otro, los cuales alcanzaban una gran altura.

Observé la mesa pulida y desnuda. Estaba mareado. Temí ponerme a arrojar, desvanecerme.

—Lo que Ursula me pide es que te haga miembro de nuestra corte —dijo el anciano al tiempo que me empujaba contra la balaustrada, impidiéndome moverme y menos aún huir. Se expresaba con voz grave y pausada, sin ofrecer ninguna opinión al respecto—. Desea que formes parte de nuestra comunidad como recompensa por haber matado a uno de los nuestros. Ésa es su lógica.

El anciano me observó con ojos fríos y pensativos mientras seguía sujetándome por el cuello, aunque sin crueldad ni violencia, sólo para inmovilizarme.

En mi cabeza bullía un sinfín de palabras y maldiciones pronunciadas a medias, cuando de pronto sentí que caía al vacío.

Sin que el anciano me soltara, caí sobre la balaustrada y al cabo de unos segundos aterricé sobre la mullida alfombra. El anciano me ayudó a levantarme y los bailarines se apartaron a ambos lados para cedernos paso.

Nos detuvimos ante el señor del castillo, que ocupaba la silla de respaldo alto, y observé que las figuras de madera que ostentaba su imponente trono eran, por supuesto, bestiales, felinas y diabólicas.

Todo era de madera negra, pulida hasta el extremo de percibirse el olor del aceite, el cual combinaba bien con el perfume de las lámparas. Las antorchas emitían un suave chisporroteo.

Los músicos cesaron de tocar. Yo no los veía. Y cuando alcancé a ver la pequeña orquesta situada en lo alto, en un pequeño balcón o galería, comprobé que estaba formada por unos hombres de tez blanca como la porcelana, esbeltos y vestidos con ropas modestas. Todos clavaron en mí sus ojos de gato.

Contemplé al señor del castillo. No se había movido ni pronunciado una palabra. Era un hombre apuesto, de porte imperial, con una cabellera rubia espesa y peinada con pulcritud, tal como observé antes, que le rozaba los hombros.

Su vestimenta también resultaba anticuada; consistía en una holgada túnica de terciopelo, no como las de los soldados, sino más bien una toga adornada con un ribete de piel teñido de escarlata como el del tejido, y debajo lucía unas vistosas mangas abullonadas hasta el codo y ceñidas en torno a los antebrazos y las muñecas. Alrededor del cuello llevaba una enorme cadena de la cual pendían unos medallones, cada uno de los cuales consistía en un aro de oro exquisitamente labrado engarzado con un cabujón, un rubí, rojo como los ropajes.

Una de sus manos, delgada, desprovista de alhajas, reposaba sobre la mesa sin afectación. La otra no alcancé a verla. Él clavó sus ojos azules en mí. La mano desnuda, refinada y limpia, indicaba que era un hombre puritano y erudito.

Ursula avanzó hacia nosotros con paso ágil a través de las gruesas alfombras sobrepuestas, alzando la falda con ambas manos para no tropezar.

—Florian —dijo, e hizo una profunda reverencia ante su señor, que ocupaba el lugar preferente en la mesa—. Florian, te ruego que accedas a nombrar a este joven, de gran carácter y fortaleza, miembro de nuestra corte. Hazlo por mí, para satisfacer los deseos de mi corazón. Es cuanto te pido. —La voz era trémula pero convincente.

—¿Que me convierta en miembro de esta corte? —pregunté encendido de ira. Miré a diestro y siniestro. Observé las pálidas mejillas de aquellos seres, las bocas oscuras, semejantes al color de una herida sangrante. Reparé en la expresión vacua e impasible con que me observaban. ¿Tenían los ojos rebosantes de un fuego demoníaco, o habían perdido todo rasgo de humanidad en sus semblantes?

Miré mis manos, mis puños crispados, rojos y humanos,

y de pronto me percaté de mi propio olor, percibí el olor de mi sudor y del polvo de la carretera que tenía adherido y se mezclaba con los otros olores humanos.

—Sí, constituyes un bocado muy apetecible para nosotros —dijo el jefe de la estrafalaria corte—. Todo el salón está impregnado de tu aroma. Pero aún es temprano para que iniciemos el festín. Lo hacemos cuando la campana suena doce veces, según nuestra costumbre infalible.

Tenía una voz muy hermosa, clara y encantadora, con un deje francés, que resulta muy seductor. Se expresaba con una reserva y un empaque típicamente francés.

Florian me dirigió una sonrisa tan dulce como la de Ursula, pero no era compasiva, ni cruel ni sarcástica.

Yo le miraba sólo a él, no me interesaban los rostros que había a su izquierda y derecha. Sólo sabía que eran muy numerosos, pertenecientes a hombres y mujeres por igual, que las mujeres lucían los majestuosos tocados de antaño, y por el rabillo del ojo me pareció ver a un individuo vestido como un bufón.

—Una cuestión de esta magnitud, Ursula —dijo Florian—, requiere una larga deliberación.

—¡Cómo! —exclamé—. ¿Pretendes nombrarme miembro de vuestra corte? ¡Ni pensarlo!

—Vamos, muchacho —replicó Florian con voz suave y tranquilizadora—. Aquí no estamos sometidos a la muerte, el deterioro o la enfermedad. Te agitas como un pez prendido en el anzuelo; estás condenado y ni siquiera te has percatado de que ya no te encuentras en el agua, en tu elemento natural.

—Señor, no deseo formar parte de tu corte —repliqué—. Ahórrate tu amabilidad y tus consejos. —Eché una mirada alrededor—. No me hables de vuestros festines.

Esos seres habían adoptado un silencio abominable, una mirada gélida que resultaba antinatural y amenazadora. Sentí náuseas. O quizá fuera pavor, un pavor que no permitiría que hiciera presa en mí aunque estuviera rodeado de esas diabólicas criaturas y tuviera que defenderme solo.

Las figuras que se hallaban sentadas a la mesa permanecían inmóviles, como si fueran de porcelana. Se diría que el mismo hecho de posar con esa exquisita compostura formara parte de su capacidad de prestar atención.

—Ojalá tuviera un crucifijo —musité, sin pensar siquiera en lo que decía.

—Eso no significa nada para nosotros —afirmó Florian.

—Lo sé de sobra; tu dama entró en nuestra capilla para apoderarse de mi hermano y de mi hermana. Sí, ya sé que las cruces no representan nada para vosotros. Pero en estos momentos un crucifijo significaría mucho para mí. Dime, ¿tengo unos ángeles que me protegen? ¿Sois siempre visibles? ¿O de vez en cuando os confundís con la noche y desaparecéis? Y en tal caso, ¿puedes ver los ángeles que me defienden?

Florian sonrió.

El anciano, que por fin me había soltado, lo cual agradecí, emitió una discreta risita. Pero los otros permanecieron impávidos.

Observé a Ursula. Qué enamorada y desesperada parecía, con qué firmeza y decisión me miraba a mí y a su señor, al que había llamado Florian. Sin embargo era tan inhumana como los otros; la siniestra imagen de una mujer joven, dueña de una gracia y una belleza indescriptibles, pero hacía mucho que había abandonado el mundo terrenal, como todos ellos. ¡Qué grial de rubí ni qué historias!

—Escucha sus palabras, señor, pese a lo que diga —suplicó Ursula a Florian—. Hace mucho que no se oye una nueva voz entre estos muros, una voz susceptible de permanecer junto a nosotros, de convertirse en uno de nosotros.

—En efecto, y este muchacho parece creer en los ángeles, y tú lo consideras extraordinariamente inteligente —repuso Florian con tono afable—. En verdad te aseguro, joven Vittorio, que no veo ningunos ángeles protegiéndote. Siempre somos visibles, como bien sabes, pues tú mismo has contemplado nuestra mejor y nuestra peor faceta. Pero lo cierto es que no nos has visto en el mejor momento.

—Lo cual ansío con impaciencia, mi señor —contesté—, pues estoy enamorado de vosotros, de vuestro estilo de asesinar a la gente, por no hablar de los estragos que vuestra corrupción ha causado en la población vecina. ¡Os habéis apoderado incluso del alma de los sacerdotes!

—Silencio, no te alteres —me reprendió Florian—. Tu olor inunda mis fosas nasales como si el puchero estuviera hirviendo. Quizá te devore, hijo mío, tal vez te descuartice y reparta los trozos pulsantes de vida entre mis compañeros para que los saboreen mientras la sangre aún está caliente y tus ojos pestañean...

Al oír esas palabras creí enloquecer. Pensé en mis hermanos muertos. Pensé en las grotescas y tiernas expresiones que mostraban sus cabezas cortadas. Era insoportable. Cerré los ojos. Traté de evocar una imagen que borrara esos horrores. Recordé el espectáculo del ángel de Fra Filippo Lippi arrodillado ante la Virgen. Sí, ángeles, ángeles, rodeadme con vuestras alas. ¡Dios mío, envíame a tus ángeles!

—¡Maldita sea tu corte, demonio de melosas palabras! —exclamé—. ¿Cómo lograste establecerte en esta región? ¿Cómo ocurrió? —Abrí los ojos, pero sólo vi a los ángeles de Fra Filippo en una confusa miscelánea de obras que recordaba; unos seres radiantes pletóricos del cálido aliento carnal de la tierra mezclado con el cielo—. Confío en que el monstruo a quien corté la cabeza se abrase en el infierno —grité a voz en cuello.

Si el silencio puede hincharse y deshincharse, eso fue lo que hizo en aquella inmensa estancia; yo sólo oí el rumor de mi agitada respiración.

Pero Florian no se inmutó.

—Podemos considerar tu propuesta, Ursula —dijo.

—¡No! —protesté—. ¿Unirme a vosotros? ¿Convertirme en uno de los vuestros? ¡Jamás!

El anciano me sujetó con fuerza del cuello. Si intentaba liberarme sólo conseguiría hacer el ridículo. Bastaba con que apretara un poco más para asfixiarme. Quizá fuera preferible. Pero deseaba añadir algo más.

—Nunca accederé. ¿Cómo os atrevéis a pensar que mi alma posee tan poco valor que estaría dispuesto a entregárosla?

—¿Tu alma? —preguntó Florian—. ¿Qué valor tiene tu alma cuando se niega a viajar durante siglos bajo las inescrutables estrellas, en lugar de unos pocos años? ¿Qué valor tiene cuando se niega a perseguir la verdad durante toda la eternidad, a cambio de una breve y vulgar existencia?

Lentamente, entre el sofocado murmullo de sus ropajes, Florian se levantó y mostró por primera vez su largo manto rojo que caía hasta el suelo, formando tras él una enorme sombra del color de la sangre. Inclinó la cabeza ligeramente, haciendo que las lámparas confirieran a su pelo un intenso tono dorado, y sus ojos azules adoptaron una expresión más suave.

—Nosotros estábamos aquí antes que los de tu especie —respondió en un tono de voz siempre contenido; seguía mostrándose cortés y elegante—. Estábamos aquí siglos antes de que vosotros llegarais a vuestra montaña. Estábamos aquí cuando todas estas montañas circundantes eran nuestras. Sois vosotros los invasores. —Tras detenerse unos instantes, Florian se irguió, adoptando una actitud imperial, y continuó—: Es tu especie la que ha irrumpido en nuestro territorio con sus granjas, aldeas, fortalezas y castillos, limitando nuestro espacio, invadiendo nuestros bosques, hasta el extremo de que debemos actuar con astucia más que con rapidez, y ser visibles en lugar de comportarnos «como un ladrón en la noche», según afirma la Biblia.

—¿Por qué asesinasteis a mi padre y a mi familia? —pregunté.

Era incapaz de seguir callado por más tiempo, no me

dejaría engañar por su hábil elocuencia, sus suaves palabras, su rostro seductor.

—Tu padre y el padre de éste —contestó Florian—, así como el señor feudal que les precedió talaron los árboles que rodeaban vuestro castillo. Pues bien, yo debo talar el bosque de seres humanos que amenazan con invadir mi castillo. De vez en cuando debo utilizar mi hacha, y eso es lo que hago y seguiré haciendo. Tu padre podría haber pagado el tributo y seguir viviendo tranquilamente. Podría haber prestado un juramento secreto que le exigía muy poco.

—¡No creerás que él iba a entregaros a nuestros niños para que bebierais su sangre o los sacrificarais a Satanás sobre un altar!

—Tú mismo lo comprobarás —contestó Florian—, pues creo que debemos sacrificarte.

—¡No, Florian! —exclamó Ursula—. Te lo suplico.

—Deja que te haga una pregunta, amable señor —intervine yo—, dado que concedes tanta importancia a la justicia y a la historia. Si ésta es una corte, una auténtica corte, ¿por qué no dispongo de una defensa humana? ¿O de unos representantes humanos? ¿De unos abogados humanos que me defiendan?

Mi pregunta desconcertó a Florian. Al cabo de unos momentos respondió:

—Nosotros constituimos una corte, hijo mío. Tú no eres nada, y lo sabes. Habríamos permitido que tu padre viviera, al igual que permitimos al ciervo que habite en el bosque para que se aparee con la hembra y tengan descendencia. Es así de sencillo.

—¿Hay seres humanos en este lugar?

—Ninguno que pueda ayudarte —respondió Florian secamente.

—¿No hay unos centinelas humanos que montan guardia de día? —insistí.

—No —contestó Florian, y por primera vez esbozó una

sonrisa de orgullo—. ¿Acaso piensas que los necesitamos? ¿Crees que nuestros pichones sienten la tentación de huir del corral durante el día? ¿Crees que necesitamos unos centinelas humanos en este lugar?

—Desde luego. ¡Estás loco si crees que voy a incorporarme a tu corte! ¿Que no necesitáis unos centinelas humanos, cuando debajo de este castillo hay una población cuyos habitantes saben lo que sois y que acudís de noche porque no podéis aparecer de día?

Florian sonrió con paciencia.

—Son unas sabandijas —replicó sin alterarse—. No me hagas perder el tiempo hablando de unos seres despreciables.

—Te equivocas al juzgarlos de modo tan severo. En cierta forma creo que les amas más de lo que estás dispuesto a reconocer.

—En todo caso ama su sangre —dijo el anciano por lo bajo entre risas.

En ese momento se oyeron unas tímidas carcajadas, que se desvanecieron en el acto, como los fragmentos de un objeto hecho añicos.

Florian tomó de nuevo la palabra:

—Consideraré tu propuesta, Ursula, pero no...

—¡No, me niego! —protesté—. No me uniría a vosotros aunque estuviera condenado a morir.

—No seas insolente —me advirtió Florian sin perder la calma.

—¡Sois unos idiotas si creéis que los habitantes de la población no se rebelarán y tomarán esta ciudadela a la luz del día y descubrirán vuestros escondites! —Percibí un murmullo a través del salón, pero ninguna palabra, como si esos monstruos de rostro pálido se comunicaran entre sí por medio del pensamiento o la simple mirada, haciendo que sus pesados y hermosos ropajes se movieran—. ¡Sois unos estúpidos! ¿Os dais a conocer a todo el mundo de día y creéis que esta Corte del Grial de Rubí puede perdurar eternamente?

—Me ofendes —replicó Florian, y sus mejillas se tiñeron de un tono sonrosado que le sentaba divinamente—. Te pido cortésmente que guardes silencio.

—¿Te he ofendido? Señor, permíteme un consejo. De día estáis indefensos, lo sé perfectamente. Atacáis de noche y sólo entonces. Todos los signos y las palabras así lo indican. Recuerdo a vuestras hordas huyendo de casa de mi padre. Recuerdo la advertencia: «Mira el cielo.» Señor, lleváis demasiado tiempo viviendo en vuestro bosque. Deberíais seguir el ejemplo de mi padre y enviar a algunos discípulos a estudiar con los filósofos y los sacerdotes de la ciudad de Florencia.

—No te burles de mí —imploró Florian con su habitual cortesía—. Conseguirás que me enoje, Vittorio, y no deseo hacerlo.

—Te queda poco tiempo, viejo demonio —repliqué—. De modo que disfruta en tu anticuado y aislado castillo mientras puedas.

Ursula soltó una exclamación de protesta, pero yo no estaba dispuesto a dejar que me interrumpiera.

—Quizá lograras sobornar a la vieja generación de idiotas que gobierna hoy en día la población —dije—, pero si crees que los mundos de Florencia, Venecia y Milán no os atacarán antes de lo que imaginas, es que estás soñando. No son los hombres como mi padre quienes representan una amenaza para vosotros, señor. Es el erudito con sus libros; son los alquimistas y los astrólogos de las universidades quienes acabarán con vosotros, la era moderna de la que no sabes nada... Ellos os perseguirán y darán caza como a una vieja bestia legendaria, os sacarán de vuestra guarida al calor del sol y os cortarán la cabeza...

—¡Mátalo! —gritó una voz femenina entre los presentes.

—Destrúyelo de inmediato —dijo un hombre.

—¡No merece que lo encerremos en el corral! —afirmó otro.

—No merece permanecer ni un solo instante en el corral, ni siquiera que lo sacrifiquemos.

Acto seguido se alzó un coro de voces exigiendo mi muerte.

—¡No! —gritó Ursula extendiendo los brazos hacia Florian—. ¡Te lo suplico, Florian!

—Tormento, tormento, tormento —comenzaron a repetir dos, tres y hasta cuatro voces.

—Señor —terció el anciano, aunque apenas lograba oír su voz—, no es más que un muchacho. Encerrémoslo en el corral, con el resto de los pichones. Dentro de un par de noches no recordará siquiera su nombre. Estará tan manso y rollizo como los otros.

—¡Mátalo de una vez! —gritó alguien por encima del resto de la concurrencia.

—¡Acabemos con él! —exclamaron otros.

Las peticiones sonaban cada vez más airadas.

De pronto se oyó una estentórea voz a la que de inmediato secundaron otras:

—¡Despedázalo! ¡Sin tardanza!

—¡Sí, sí, sí!

Aquello parecía el batir de unos tambores de guerra.

7

El corral

El anciano Godric gritó para imponer silencio en el preciso instante en que numerosas manos gélidas me asían por los brazos.

En Florencia yo había visto a un hombre despedazado por la multitud. Había estado peligrosamente cerca de aquel atroz espectáculo, y por poco muero pisoteado por quienes, al igual que yo, trataban de huir.

De modo que sabía muy bien que aquello podía ocurrir. Estaba resignado a sufrir esa o cualquier otra suerte, y creía tan firmemente en mi ira y mi rectitud como en la muerte.

Pero Godric ordenó a los sedientos de sangre que se retiraran, y aquel hatajo de rostros pálidos se apartó con una elegancia cortesana rayana en lo ridículo y servil, con la cabeza gacha o vuelta hacia un lado, como si momentos antes no hubieran estado dispuestos a matarme.

Yo no quité ojo a Florian, cuyo semblante mostraba tal acaloramiento que casi parecía humano; la sangre latía en sus delgadas mejillas y en su boca, oscura como una cicatriz cubierta de sangre reseca, pese a su atractiva forma. El pelo dorado oscuro parecía casi castaño, y los ojos azules mostraban una expresión pensativa y preocupada.

—Yo propongo que lo encerremos con los otros —apuntó Godric, el anciano pelón.

En esos momentos Ursula rompió a llorar, incapaz de contenerse por más tiempo. Me volví hacia ella y observé la cabeza inclinada, las manos que le cubrían el rostro casi por completo, y vi deslizarse a través de las arrugas de sus largos dedos unas gotas rojas como si derramara lágrimas de sangre.

—No llores —dije, sin pensar en si habría sido más prudente mantener la boca cerrada—. Has hecho cuanto estaba en tu mano, Ursula. Soy un caso perdido.

Godric se volvió frunciendo el arrugado entrecejo. Esta vez yo estaba lo bastante cerca para percatarme de que en su cabeza blanca y pelada crecían algunos pelos, unas escasas cejas canosas gruesas y ásperas como astillas.

Ursula extrajo una gasa de color rosa de un pliegue de su vestido largo de estilo imperio francés, un pañuelo con unas hojas verdes y unas flores rosas bordadas en las esquinas; con él se enjugó sus hermosas lágrimas rojas y me contempló como si se derritiera de amor.

—Mi situación es insalvable —le dije—. Has hecho cuanto has podido por salvarme. Si pudiera, te abrazaría para protegerte de este dolor. Pero esta bestia me tiene cautivo.

Se produjeron unos murmullos y unas exclamaciones de protesta entre la congregación de monstruos vestidos de escarlata. Durante unos breves instantes me permití observar los rostros demacrados y blancos como la cera que flanqueaban a Florian, y a algunas de las damas tan afrancesadas con sus anticuados tocados y cofias de color rosa que no mostraban un solo pelo de la cabeza. Tenían un aspecto absurdo y exquisito, y por supuesto todos eran demonios.

Godric, el anciano pelón, emitió una risita.

—Menuda colección de demonios —comenté con desprecio.

—Enciérralo en el corral, señor —sugirió el calvo Godric—. Junto con los otros. Luego deseo hablar contigo en privado. Y con Ursula. Está excesivamente afectada.

—¡Sufro por él, sí! —replicó ella—. Te lo ruego, Florian, jamás te he implorado nada semejante, tú lo sabes.

—Sí, Ursula —admitió Florian suavizando aún más el tono—. Lo sé, mi bella flor. Pero este joven es rebelde, y su familia ha destruido sin miramientos, desde los tiempos en que nos dominaban, a los desdichados miembros de nuestra tribu que abandonaban el castillo para cazar. Ha ocurrido más de una vez.

—¡Maravilloso! —exclamé—. ¡Qué valiente, qué prodigioso, qué regalo acabas de hacerme!

Florian me miró perplejo y enojado.

Ursula avanzó precipitadamente entre el remolino de su falda de terciopelo rojo oscuro y se inclinó sobre la mesa pulida para hablar en tono confidencial con Florian. Sólo alcancé a ver su cabello recogido en dos largas y gruesas trenzas, entrelazadas con unas magníficas cintas de terciopelo rojo. Pese a todo, no pude por menos de sentirme cautivado por la forma perfecta de sus brazos, a un tiempo esbeltos y rollizos.

—Te lo suplico, señor —imploró Ursula—, enciérralo en el corral y deja que yo disfrute de él tantas noches como precise para resignarme a esta situación. Permite que Vittorio asista esta noche a la misa de medianoche, y que reflexione.

Yo no respondí. Me limité a almacenar aquello en mi memoria.

Dos de los presentes, unos individuos bien rasurados que vestían un atuendo ceremonial, aparecieron de pronto junto a mí para ayudar a Godric a conducirme a mi prisión.

Antes de que tuviera tiempo de reaccionar, me cubrieron los ojos con un delicado lienzo. Estaba ciego.

—¡No veo nada! —protesté.

—De acuerdo, encerradlo en el corral —ordenó Florian.

Me sacaron de la habitación apresuradamente, como si los pies de quienes me escoltaban apenas rozaran el suelo.

La música sonó de nuevo, tan machacona como fantasmal, pero por suerte dejé de oírla al cabo de unos instantes. Sólo me acompañó la voz de Ursula mientras me conducían escaleras arriba, propinándome más de un pisotón y sujetándome con tal fuerza que me magullaron los brazos.

—Calla, Vittorio, te lo ruego, no te resistas. Sé valiente y guarda silencio.

—¿Por qué, amor mío? —repliqué—. ¿Por qué este empeño en salvarme? ¿Eres capaz de besarme sin clavarme los dientes?

—Sí, sí, sí —me susurró Ursula en el oído.

Advertí que me arrastraban por un pasillo. Percibí un sonoro coro de voces, que se expresaban en un lenguaje corriente, el viento que aullaba fuera y una música muy distinta a la que oyera antes.

—¿Qué es esto? ¿Adónde me lleváis? —pregunté.

Oí que se cerraba una puerta a mis espaldas, y luego me arrancaron la venda de los ojos.

—Esto es el corral, Vittorio —dijo Ursula, y oprimió el brazo contra el mío para susurrarme al oído—: Aquí es donde encierran a las víctimas hasta que las necesitan.

Nos detuvimos en un rellano de piedra que estaba desierto. La escalera de caracol conducía a un gigantesco patio inferior, en el cual había tal movimiento que al principio me costó asimilarlo del todo.

Nos hallábamos en un piso alto del castillo, entre sus muros, de eso sí me di cuenta. Observé que el patio estaba cerrado por los cuatro costados, que los muros estaban revestidos de mármol blanco y salpicados de multitud de ventanas estrechas y puntiagudas de doble arco, en un estilo típicamente francés. En lo alto, el cielo mostraba un vívido y pulsante resplandor, alimentado sin duda por las innumerables antorchas que había en los tejados y los estribos del castillo.

Todo esto no me indicó gran cosa, salvo que la huida era imposible, pues las ventanas más próximas eran demasiado elevadas y el mármol demasiado liso para escalar sin más por él.

Había un gran número de pequeños balcones, demasiado elevados también para acceder a ellos, en los que vi a algunos de esos demonios de tez pálida ataviados de rojo. Me observaban como si mi entrada en el «corral» constituyera todo un acontecimiento. También vi unos amplios porches, ocupados por otros grupos de monstruos que al parecer no tenían nada mejor que hacer que regodearse con el espectáculo.

«Malditos sean todos ellos», pensé.

Lo que me chocó y fascinó fue la gran cantidad de seres humanos y cobertizos que observé en el patio.

En primer lugar, el patio estaba más iluminado que la siniestra corte, donde yo acababa de ser sometido a juicio, por así decirlo. Constituía un singular universo, en el que crecían docenas de olivos y demás árboles frutales, naranjos y limoneros, todos ellos decorados con faroles.

Era un pequeño universo repleto de personas que daban la impresión de estar ebrias y aturdidas. Esos desdichados seres, algunos semidesnudos, otros por completo vestidos, incluso con ropas elegantes, deambulaban de aquí para allá o estaban sentados o tumbados en el suelo. Todos presentaban un aspecto sucio, desaliñado, degradado.

Había un gran número de chozas, como las antiguas cabañas de paja de los campesinos, cobertizos de madera sin puertas ni ventanas, pequeños enclaves de piedra, jardines con pérgolas y un sinfín de serpenteantes caminos.

Era el endiablado laberinto de un jardín desatendido que poco a poco había asumido un aspecto selvático bajo la noche desnuda.

Había un gran número de árboles frutales y unos lugares cubiertos de hierba, donde yacían unas personas que contemplaban las estrellas como si dormitaran, aunque tenían los ojos abiertos.

Una multitud de floridas parras cubría los recintos rodeados por unas alambradas cuyo único propósito parecía ser el de crear un espacio privado. Vi unas gigantescas jaulas repletas de orondas aves, sí, aves, varias hogueras para cocinar los alimentos y unos enormes pucheros que humeaban sobre unos lechos de carbones que despedían un intenso aroma a especias.

Unos pucheros, sí, repletos de sopa.

Vi a cuatro demonios pululando por allí, aunque tal vez hubiera más: unos seres esqueléticos, pálidos como sus superiores, que vestían el atuendo rojo sangre de rigor pero llevaban las ropas toscas y harapientas, como las de los campesinos.

Dos personas vigilaban el caldo o la sopa, o lo que fuera aquello, mientras una tercera barría el suelo con una enorme y vieja escoba y otra transportaba sobre la cadera con gesto indiferente un niño de corta edad, cuya cabeza oscilaba de un lado a otro sobre un frágil cuello.

Era un cuadro más grotesco e inquietante que el de la corte, repleta de unos cadavéricos aristócratas de pacotilla.

—El humo de los pucheros hace que me escuezan los ojos —dije.

Aspiré una deliciosa mezcla de penetrantes aromas. Identifiqué muchas de las especias que se empleaban de condimento, así como el olor de cordero y buey, aunque éstos se confundían con otros sabores más exóticos.

Los seres humanos que había allí parecían aturdidos: niños, ancianas, los famosos tullidos que jamás aparecían en la población, jorobados, gente con el cuerpo deforme, enanos que no habían alcanzado una estatura normal, y unos individuos gigantescos, fornidos y barbudos, así como muchachos de mi edad o mayores; todos ellos deambulaban por el recinto o estaban tumbados en el suelo ofuscados, enloquecidos, observándonos sin dejar de pestañear, perplejos, como si nuestra presencia significara algo que no alcanzaban a comprender.

Mientras contemplaba el espectáculo desde el rellano de la escalera, me sentí desfallecer, pero Ursula me sujetó del brazo. El aroma de la comida había despertado mi apetito. Me sentía hambriento, famélico. No, tan sólo ansiaba beber aquella sopa, como si allí no existiera ningún alimento que no fuera líquido.

De pronto los dos caballeros enjutos e indiferentes que no se habían apartado de nosotros, aquellos que me habían vendado los ojos para conducirme hasta allí dieron media vuelta y bajaron la escalera a paso de marcha, haciendo resonar sus tacones sobre las piedras.

Del variopinto y disperso grupo de humanos que ocupaba el recinto brotaron algunas exclamaciones de sorpresa. Algunos se volvieron para mirarnos. Otros, tumbados en el suelo, sacudieron la cabeza para despabilarse del sopor etílico en el que se hallaban sumidos.

Los dos caballeros, con sus largas mangas que arrastraban por el suelo, se encaminaron con la espalda tiesa y muy juntos, como si fueran hermanos del alma, hacia el primer puchero que vieron.

Observé cómo dos mortales borrachos se levantaban y avanzaban a trompicones hacia los caballeros ataviados de rojo. En cuanto a éstos, parecían divertirse desconcertando a todos.

—¿Qué hacen? ¿Qué se proponen? —Me sentía mareado. Iba a desvanecerme. Pero qué aroma tan delicioso y tentador exhalaba esa sopa—. Ursula. —No supe qué más decir tras musitar su nombre como en una plegaria.

—No temas. Yo te sostengo, amor mío. Esto es el corral. ¿Lo ves?

A través de una bruma vi a los dos caballeros pasar bajo las ramas ásperas y espinosas dc los naranjos en flor, de los que pendían jugosos frutos, aunque ninguno de aquellos seres hinchados y aletargados necesitaba una fruta fresca y suculenta como una naranja.

Los caballeros se situaron a ambos lados del primer puchero y, extendiendo la mano derecha, se cortaron la muñeca derecha con el cuchillo que sostenían en la izquierda y dejaron que la sangre manara copiosamente dentro del caldo.

Los humanos que se congregaban en torno a ellos emitieron un débil grito de gozo.

—Maldita sea, es la sangre, debí imaginarlo —murmuré. De no haberme sujetado Ursula, habría caído al suelo—. El caldo está reforzado con sangre.

Uno de los caballeros se volvió, como si el humo y los olores le disgustaran, pero dejó que su sangre siguiera cayendo dentro del puchero. Luego se volvió rápidamente, casi con fastidio, y agarró del brazo a uno de los pálidos, débiles y demacrados demonios que vestían ropas de campesino.

El caballero arrastró al desdichado hasta el puchero. El enclenque y depauperado demonio gimió y rogó que lo soltara, pero el caballero le practicó unos cortes en ambas muñecas; aunque el campesino volvió la cara, el otro le sujetó con fuerza mientras la sangre caía a borbotones en el caldo.

—La obra de Dante palidece frente a vuestros círculos del infierno —comenté. Sin embargo, me dolía emplear ese tono con Ursula.

Ella siguió sujetándome.

—Son campesinos, sí, y sueñan con convertirse en caballeros, y si obedecen tal vez lo consigan.

Recordé que los soldados demonios que me habían conducido hasta el castillo eran unos rudos cazadores. Todo estaba pensado hasta el último detalle, pero esta criatura, mi amor de hombros estrechos, de brazos suaves y flexibles, con su rostro bañado en lágrimas, era una auténtica dama, ¿o no?

—Vittorio, deseo con todo mi corazón que no mueras.

—¿De veras, amor mío? —respondí al tiempo que la rodeaba con mis brazos. Si no la hubiese abrazado no me habría sostenido en pie.

La vista se me nublaba por momentos.

Con la cabeza apoyada en el hombro de Ursula, la mirada dirigida hacia la multitud que se hallaba en el corral, vi a los seres humanos arremolinarse en torno a los pucheros e introducir sus tazas en el caldo caliente donde había caído la sangre, y soplar sobre éste antes de beberlo.

Entre los muros del recinto se oyó el eco de unas breves y espeluznantes risotadas, deduzco que emitidas por los espectadores situados en los balcones.

De pronto se produjo un remolino de color rojo, como si hubiera caído una gigantesca bandera desplegada.

Era una dama que había caído de las remotas alturas del castillo, para aterrizar entre las respetuosas hordas que invadían el corral.

Se inclinaron ante ella y la saludaron. Luego retrocedieron entre exclamaciones de asombro cuando ella se acercó también al puchero y, lanzando una estentórea carcajada de rebeldía, se cortó la muñeca y derramó su sangre en el caldo.

—Sí, queridos pollitos míos —dijo la dama; después alzó la vista y nos miró—. Ven, Ursula, apiádate de nuestra pequeña y hambrienta comunidad; muéstrate generosa esta noche. ¿No te apetece dar sangre? Deberías darla en honor de nuestra nueva adquisición.

Ursula, que parecía turbada por esta salida fuera de tono, me sujetó suavemente con sus lardos dedos. Yo la miré a los ojos.

—Estoy ebrio, ese aroma me embriaga.

—A partir de ahora sólo tú recibirás mi sangre —musitó Ursula.

—Dámela, estoy sediento de ella, me siento tan débil que voy a morir —respondí—. ¡Por el amor de Dios, tú me trajiste aquí! No, no, vine por mi propia voluntad.

—Calla, amor mío —repuso ella.

Ursula me pasó el brazo alrededor de la cintura y comenzó a succionarme la piel debajo de mi oreja, como si deseara formar un pequeño montículo en mi cuello, caldearlo con su lengua y luego clavarme los dientes.

Sentí como si me hubiera violado, y sumiéndome de nuevo en una ensoñación extendí las manos hacia ella; entonces ambos echamos a correr a través del prado que nos pertenecía sólo a nosotros y al que aquellos otros seres jamás podrían acceder.

—Ah, inocente amor —dijo Ursula mientras bebía mi sangre—, inocente, inocente.

De pronto sentí un fuego gélido y abrasador en la herida del cuello, como si un delicado parásito de largos tentáculos hubiera penetrado en mi cuerpo, alcanzando las zonas más remotas del mismo.

El prado se extendía a nuestro alrededor, vasto y fresco, sembrado de azucenas mecidas por la brisa. ¿Estaba ella conmigo? ¿Junto a mí? En un esplendoroso instante tuve la sensación de estar solo y la oí gritar como si se hallara a mis espaldas.

Inmerso en ese sueño exquisito, refrescante y sutil como el aleteo de un pájaro, en el que contemplé el cielo de un azul purísimo y unas frágiles ramitas que se partían al menor contacto, quise volverme y correr hacia ella. Pero por el rabillo del ojo contemplé algo tan espléndido y magnífico que el corazón me dio un vuelco.

—¡Mira, contempla esta belleza!

Eché la cabeza hacia atrás. El sueño se había desvanecido. Los elevados muros de mármol blanco del castillo-prisión se erguían ante mis doloridos ojos. Ursula me sostuvo al tiempo que me observaba fijamente, perpleja, con los labios ensangrentados.

Luego me tomó en brazos. Me sentí indefenso como un niño. Ursula me trasportó escaleras abajo sin que yo pudiera mover un solo músculo.

Tuve la impresión de que el universo que me rodeaba se componía de unas figurillas dispuestas en los balcones y en las almenas, que reían y me señalaban con sus diminutas manos, unas figuras siniestras iluminadas por la luz de las antorchas.

Rojo sangre, aspira su olor.

—¿Qué era lo que había en el prado? ¿Lo viste? —pregunté a Ursula.

—¡No! —contestó ella. Parecía asustada.

Yo yacía sobre un montón de heno, un lecho improvisado. Los pobres y desnutridos campesinos demonios me contemplaron con expresión bobalicona y los ojos inyectados en sangre, y ella, Ursula, se cubrió el rostro con las manos y rompió a llorar.

—No puedo dejarlo aquí —dijo.

Me pareció que Ursula estaba lejos, muy lejos. Oí que unas personas lloraban. ¿Acaso había estallado una revuelta entre aquellos seres drogados y condenados? Oí unos sollozos.

—Pero lo harás. Primero te acercarás al puchero y darás tu sangre.

¿Quién había pronunciado esas palabras?

Yo no lo sabía.

—... Es hora de asistir a misa.

—Esta noche no os lo llevaréis.

—¿Por qué lloran? —pregunté—. ¿No los oyes, Ursula? Están llorando.

Uno de los depauperados jóvenes me miró a los ojos. Sujetándome por el pescuezo con una mano, acercó una taza de caldo a mis labios. No quise que me resbalara por la barbilla. Bebí con avidez. Tenía la boca llena.

—Esta noche no —dijo Ursula. Sentí que me besaba en la frente, en el cuello. Alguien la obligó a apartarse. Ursula me aferró la mano con fuerza, pero al cabo de unos instantes se la llevaron de allí.

—Vamos, Ursula, déjalo.

—Duerme, amor mío —me susurró ella al oído. Noté el roce de su falda—. Duerme, Vittorio.

El que me había dado de beber arrojó la taza al suelo. Atontado, borracho como una cuba, observé cómo el contenido se derramaba y empapaba el heno sobre el que me hallaba tendido. Ella se arrodilló junto a mí, con la boca entreabierta, roja y apetecible.

Me tomó el rostro con sus manos frescas y vertió la sangre con su boca en la mía.

—Ah, amor mío —dije. Deseaba contemplar el prado. Pero no apareció—. ¡Déjame contemplar el prado! ¡Deseo verlo!

No vi ningún prado, sólo la extraña imagen de su rostro; luego noté que la luz se atenuaba y que me envolvía un manto de oscuridad y sonido. No podía oponer más resistencia. Era incapaz de hablar, de recordar... Pero alguien había dicho esas mismas palabras.

Los sollozos no cesaban. Eran angustiosos. Un llanto de dolor y desesperación.

Cuando abrí los ojos de nuevo, había amanecido. El sol hería mis ojos y la cabeza me estallaba.

Un hombre se había encaramado sobre mí e intentaba arrancarme la ropa. ¡Estúpido borracho! Me volví, mareado y a punto de vomitar, y me lo quité de encima; le propiné un sonoro puñetazo que lo dejó inconsciente.

Traté de levantarme, pero no pude. Las náuseas eran insoportables. Los otros estaban acostados a mi alrededor, dormidos. El sol hería mis ojos. Laceraba mi piel. Me amadrigué en el heno. El calor batía sobre mi cabeza, y cuando me pasé las manos por el pelo advertí que estaba ardiendo. La jaqueca me causaba unos intensos latidos en los oídos.

—Entra en el cobertizo —dijo una voz. Era una vieja decrépita, que me indicó que me acercara desde el cobertizo con techado de paja—. Aquí se está fresco.

—Malditos seáis todos —repliqué.

Al cabo de unos instantes volví a dormirme. Perdí el mundo de vista.

A últimas horas de la tarde recobré el conocimiento.

Estaba arrodillado junto a uno de los pucheros. Bebía un cuenco de caldo con tal avidez que me lo echaba por encima. Me lo había dado la vieja.

—Los demonios duermen —dije—. Podemos... Podemos... —Comprendí que era inútil. Deseaba arrojar el cuenco al suelo, pero seguí bebiendo el caldo caliente.

—No contiene sólo sangre, sino también vino, un vino excelente —dijo la vieja—. Bébelo, muchacho, y no sentirás el menor dolor. No tardarán en matarte. No es tan terrible.

Al cabo de un rato me percaté de que había oscurecido.

Me volví.

Abrí los ojos por completo, pues ya no me dolían como cuando brillaba el sol

Comprendí que había perdido todo el día en esa ebria, estúpida y desastrosa postración. Había caído en la trampa que me habían tendido. Estaba inerme en lugar de tratar de inducir a esos inútiles que me rodeaban a sublevarse. ¡Dios, cómo pude dejar que eso ocurriera! Ah, qué tristeza, una tristeza vaga y distante... Y la dulzura del sueño.

—Despierta, muchacho —me apremió la voz de un demonio—. Esta noche quieren que asistas.

—¿Quiénes? ¿Para qué? —inquirí, alzando la vista.

Las antorchas estaban encendidas. Todo resplandecía y brillaba. Percibí el murmullo de las hojas verdes en los árboles, el intenso olor dulzón de los naranjos. El mundo se componía de las llamas que danzaban en lo alto y las atractivas formas de las hojas negras. El mundo era hambre y sed.

El caldo humeaba en el puchero, y su aroma borraba todo lo demás. Abrí la boca para ingerirlo, aunque no había ningún cuenco junto a mis labios.

—Yo te lo daré —dijo la voz del demonio—. Pero incorpórate. Tengo que lavarte. Esta noche debes ofrecer un buen aspecto.

—¿Para qué? —pregunté—. Todos han muerto.

—¿Quiénes?

—Mi familia.

—Aquí no está tu familia. Ésta es la Corte del Grial de Rubí. Tú perteneces al señor de esta corte. Vamos, tengo que prepararte.

—¿Para qué tienes que prepararme?

—Para la misa, anda, levántate —contestó el demonio, de pie junto a mí, apoyado sobre su escoba, el rostro enmarcado por unas lustrosas guedejas que le daban aspecto de duende—. Levántate, muchacho. Quieren que acudas. Es casi medianoche.

—¡No, es imposible que sea medianoche! —grité—. ¡No!

—No temas —dijo él con frialdad, irritado—. Es inútil.

—¡No lo entiendes, es la pérdida de tiempo, la pérdida de la razón, la pérdida de las horas durante las cuales mi corazón latió y mi cerebro durmió! ¡No tengo miedo, estúpido demonio!

El demonio me sostuvo con una mano para impedir que me alzara de mi lecho de heno y me lavó la cara con la otra.

—Esto ya es otra cosa. Eres un joven muy atractivo. Siempre sacrifican los primeros a los ejemplares como tú. Eres fuerte y posees un cuerpo y un rostro muy bellos. ¡Y doña Ursula soñando contigo y llorando por ti! Se la han llevado.

—Yo también soñaba... —repliqué.

¿Era posible que estuviera conversando con ese sirviente monstruoso como si fuéramos amigos? ¿Qué había sido de los magníficos sueños que yo tejía, aquella inmensa y luminosa majestad?

—Por supuesto que puedes conversar conmigo —dijo el demonio—. Morirás extasiado, mi joven y bello señor. Y verás las campanas de la iglesia iluminadas, y la misa; tú serás la ofrenda de sacrificio.

—No, soñé con unos prados —respondí—. Vi algo en

los prados. No, no era Ursula. —Hablaba conmigo mismo, con mi trastornada y confundida mente, invocando a mi sentido común para que me prestara atención—. Vi a alguien en el prado. Alguien tan... No puedo...

—No empeores las cosas —dijo el demonio en tono conciliador—. Bien, ya sólo falta lustrar los botones y las hebillas. Se nota que eras un caballero de alcurnia.

Un caballero de alcurnia...

—¿Oyes eso? —preguntó el demonio.

—No oigo nada.

—Es el reloj, que da el tercer cuarto de la hora. La misa está a punto a empezar. No hagas caso del ruido. Son los otros que también van a morir sacrificados. No dejes que eso te ponga nervioso. Son unos lloricas.

8

Réquiem, o el sagrado sacrificio de la misa como yo jamás lo había contemplado

¿Había existido alguna vez una capilla tan bella, en la que el mármol blanco se hubiera empleado con incomparable maestría? ¿De qué fuente de oro eterno procedían esos espléndidos adornos de volutas y espirales, las altas ventanas de arco ojival, iluminadas desde el exterior por unos ardientes fuegos que ponían de relieve, con la perfección de las joyas, sus diminutas y gruesas facetas de vidrio de colores para formar unas angostas y solemnes escenas en apariencia sagradas?

Sin embargo, no eran unas escenas sagradas.

Me hallaba arriba, en el coro, sobre el vestíbulo, contemplando la inmensa nave y el altar que estaba situado en el extremo opuesto. De nuevo me flanqueaban los siniestros y majestuosos caballeros, quienes cumplían su tarea con gran fervor mientras me sostenían por los hombros para que permaneciera de pie.

Tenía la mente despejada, aunque no del todo. Me aplicaron de nuevo un paño húmedo sobre los ojos y la frente. El agua con que lo habían empapado procedía de un manantial de nieve derretida.

Pese al mareo que sentía, y a la fiebre, no perdí detalle.

Vi a los demonios dibujados en las relucientes vidrieras, tan hábilmente creados con pedacitos de vidrio rojo, oro y azul como unos ángeles o santos. Vi los rostros burlones de esos monstruos con alas dotadas de membranas y garras en lugar de manos, observando a los asistentes.

Abajo, a ambos lados de la amplia nave central se hallaban los miembros de la imponente corte, con sus magníficos ropajes de color rubí, frente al largo y amplio comulgatorio, exquisitamente tallado, y al elevado altar que había detrás de éste.

El nicho situado detrás del altar estaba cubierto con unas pinturas. Unos demonios bailaban en el infierno, danzaban airosamente entre las llamas como bañados por una cálida luz, y sobre ellos aparecían inscritas en letras doradas en unos estandartes sueltos y desplegados las palabras de san Agustín. Yo las conocía por haberlas estudiado, e indicaban que esas llamas no eran las llamas de un fuego real sino que simbolizaban la ausencia de Dios, aunque la palabra «ausencia» se había sustituido por el término en latín que significa «libertad».

«Libertad» era la palabra que aparecía esculpida, en latín, en los elevados muros de mármol blanco, en un friso que se extendía bajo balcones a ambos lados de la iglesia, situados al mismo nivel que el lugar en el que me hallaba yo; desde allí el resto de la corte presenciaba el espectáculo

La luz inundaba la elevada bóveda de crucería.

¿Y en qué consistía ese espectáculo?

El elevado altar estaba adornado con un lienzo escarlata orlado con un fleco dorado, debajo de cuyos pliegues asomaba un cuadro tallado en mármol blanco que mostraba unas figuras bailando en el infierno, aunque debido a la distancia a la que me encontraba no podía apreciar su agilidad.

Lo que vi con perfecta nitidez fueron los gruesos candelabros dispuestos no ante un crucifijo, sino ante una gigantesca imagen en piedra de Lucifer, el ángel caído, con sus largas guedejas en llamas y envuelto en un torrente de fuego, plasmado en mármol; en sus manos sostenía los símbolos de la muerte: en la derecha la guadaña y en la izquierda la espada del verdugo.

Al contemplar esa imagen quedé estupefacto. Era monstruosa, y ocupaba justo el lugar donde yo confiaba ver la efigie de Jesucristo; sin embargo, en un momento de delirio y agitación mis labios esbozaron una sonrisa y mi taimada mente me dijo que aquélla no era menos grotesca que una imagen de Jesús crucificado.

Los guardianes me sujetaron con fuerza. ¿Había perdido el equilibrio?

De pronto, unos demonios que estaban a mi alrededor, y en los que ni siquiera había reparado, ejecutaron un tenue redoble de tambores, lento y siniestro, melancólico y hermoso en su destemplada sencillez.

Acto seguido se oyó un coro de graves trompas que interpretaron una dulce canción cuyos diversos registros se combinaban a la perfección; no era la reiterativa música de acordes que oyera la víspera, sino una lánguida e implorante polifonía de melodías tan tristes que inundaron mi corazón de pesar, pulsaron las fibras de mi corazón e hicieron que las lágrimas afloraran a mis ojos.

Pero ¿qué era eso? ¿Qué era esa música compuesta por unas ricas y variadas voces que me rodeaba e invadía la nave, y cuyo eco resonaba sobre el satinado mármol mientras ascendía suave y perfecta hasta el lugar donde yo contemplaba embelesado la distante figura de Lucifer?

Todas las flores que contenían los jarrones de plata y oro depositados a sus pies eran rojas; de color rojo eran las rosas y los claveles, los lirios y unas flores salvajes cuyo nombre yo desconocía. El altar rebosaba de vida y estaba cubierto con objetos de ese color intenso, ese espléndido matiz, el único color que le quedaba a Lucifer y podía brotar de su inevitable e irremisible oscuridad.

Oí las polvorientas y sonoras notas de la chirimía, el pequeño oboe y la dulzaina, y otros pequeños instrumentos de lengüetas que se tocan con la boca, y luego el tono más resonante del sacabuche de metal, y el sutil y melodioso sonido de los martillos al percutir en las tensas cuerdas del salterio.

Esa música bastaba para subyugarme, para llenar mi alma; sus melodiosos hilos se entretejían, solapaban y armonizaban para luego separarse. Su belleza me dejó sin aliento y deslumbrado. Sin embargo, observé las estatuas de los demonios dispuestas de derecha a izquierda (tan semejantes a los caballeros y damas sentados a la mesa en la corte que contemplara la noche anterior), a partir de la imponente efigie de su diablo.

¿Eran unos vampiros esos enjutos santos del infierno, tallados en madera dura porque ésta posee un brillo de nogal rojizo, ataviados con las elegantes y austeras vestiduras ceñidas a sus esbeltos cuerpos, los ojos entornados, la boca abierta mostrando dos colmillos blancos que reposaban sobre el labio inferior, como dos diminutos fragmentos de marfil destinados a remarcar el propósito de cada monstruo?

¡Ah, qué horrenda catedral! Intenté volver la cabeza, cerrar los ojos, pero su misma monstruosidad me fascinaba. Un cúmulo de patéticos pensamientos inconexos no llegaron a alcanzar mis labios.

Las trompas callaron, así como los rústicos instrumentos de madera. «No te desvanezcas, dulce música. No me dejes aquí.»

Entonces se oyó un coro de melodiosas voces de tenor, que entonaron unas palabras en latín que yo no comprendí, un himno en honor de los muertos, un himno en honor de la mutabilidad de todas las cosas, y acto seguido percibí el sonoro y lustroso coro de sopranos masculinos y femeninas, bajos y barítonos, que cantaban con vigor formando una espléndida polifonía en respuesta a los solitarios tenores:

«Voy a reunirme con el Señor, pues Él ha permitido que estas criaturas de las tinieblas respondan a mis súplicas...»

¿Qué palabras de pesadilla eran ésas?

De nuevo se oyó el sonoro y nutrido coro de numerosas voces en respuesta a las de los tenores:

«Los instrumentos de la muerte me aguardan en su cálido y devoto beso, y por voluntad divina transmitirán a sus cuerpos mi sangre, mi éxtasis, el ascenso de mi alma a través de la suya, a fin de conocer el cielo y el infierno durante su oscuro servicio.»

El armonio ejecutó su solemne canción.

En el santuario de la iglesia, acompañados por la más sonora, rica y lustrosa polifonía que yo jamás había escuchado, penetraron unas figuras ataviadas con ropajes sacerdotales.

Vi al señor, Florian, vestido con una espléndida casulla roja como si fuera el mismísimo obispo de Florencia; salvo que ésta ostentaba con insolencia la cruz de Cristo boca abajo, en honor del maldito, y en su rubia cabeza no tonsurada lucía una corona engarzada con joyas como si se tratara a la vez de un monarca franco y el sirviente del señor oscuro.

Las notas sonoras y agudas de las trompas presidían la melodía. Había comenzado una marcha, punteada por el redoble seco y sostenido de los tambores.

Florian ocupó su lugar ante el altar, de cara a los asistentes que se congregaron en la iglesia. A su lado estaba Ursula, con el cabello suelto y largo hasta los hombros, aunque cubierta como María Magdalena con un velo escarlata que le rozaba el dobladillo de su ceñido vestido.

Ursula tenía el rostro vuelto hacia mí, y pese a la gran distancia que nos separaba observé que sus manos, unidas en actitud de oración, con los dedos juntos, temblaban.

Al otro lado del sumo sacerdote Florian se hallaba su ayudante, el anciano pelón, quien también lucía una casulla y unas mangas de encaje ricamente bordadas.

A ambos lados del altar aparecieron unos acólitos, unos demonios jóvenes y altos con los típicos rostros de marfil cincelado, que vestían las simples casullas propias de los que ayudan al sacerdote que dice misa. Éstos procedieron a ocupar su lugar frente al largo comulgatorio.

De nuevo se elevó un magnífico coro de voces en falsete que se mezclaban con auténticas sopranos y los resonantes bajos de los varones, del que emanaba un aire tan campestre como el de los instrumentos de viento de madera, todo ello punteado por la resonante declaración del metal.

¿Qué se proponían? ¿Qué himno era este que cantaban ahora los tenores, y qué significaba la respuesta que emitían unas voces junto a mí, unas palabras cantadas en latín de forma desordenada e incoherente?:

«Señor, he llegado al valle de la muerte; señor, he llegado al fin de mis cuitas; señor, en tu nombre doy vida a quienes languidecerían en el infierno de no ser por tu divino plan.»

Mi alma se rebeló. Odiaba ese espectáculo, y sin embargo no podía apartar los ojos de él. Recorrí la iglesia con la mirada. Observé por primera vez los enjutos y demoníacos seres que exhibían sus colmillos sobre unos pedestales instalados entre las estrechas vidrieras, y el resplandor de las velitas dispuestas en un sinfín de candeleros.

La música sonó una vez más para dar paso a la solemne declaración de los tenores:

«Traed la pila, para que aquellos que constituyen nuestra ofrenda sean purificados.»

Y la orden se cumplió.

Unos jóvenes demonios vestidos de monaguillos aparecieron portando en sus manos dotadas de una fuerza sobrenatural una magnífica pila bautismal de mármol rosa de Carrara, que depositaron a los pies del comulgatorio.

—Qué aberración convertir este espectáculo en algo tan hermoso —murmuré.

—Silencio, muchacho —replicó el majestuoso guardia que estaba junto a mí—. Observa, pues lo que verás aquí no lo volverás a contemplar jamás en la Tierra, y puesto que irás a reunirte con Dios sin haberte confesado, arderás para siempre en el infierno.

Lo dijo como si estuviera convencido de ello.

—No tienes poder alguno para condenar mi alma —murmuré, tratando en vano de ver con mayor nitidez, de librarme de esa sensación de debilidad que me obligaba a depender de las manos que me sostenían.

—Adiós, Ursula —musité al tiempo que dibujaba un beso con los labios.

Pero en ese momento íntimo y milagroso, que pasó inadvertido para el resto de los asistentes, la vi mover la cabeza en un pequeño y secreto gesto de negación.

Nadie lo advirtió porque todos estaban absortos en aquel espectáculo infinitamente más trágico que cualquier otro rito que habíamos presenciado con anterioridad.

Escoltado por unos demonios acólitos que vestían túnicas rojas y mangas de encaje ribeteadas de escarlata y oro, avanzaba por la nave un triste muestrario de los cautivos en el corral: viejas que caminaban arrastrando los pies, hombres borrachos y unos niños aferrándose a los demonios que los conducían a la muerte, como las desdichadas víctimas de un horrendo y anticuado juicio donde los hijos de los condenados eran conducidos al cadalso junto a sus padres. ¡Horror!

—¡Malditos! ¡Yo os maldigo! ¡Dios, haz que tu justicia caiga sobre ellos! —murmuré—. ¡Derrama tus lágrimas sobre nosotros! ¡Llora por nosotros, Jesucristo, por esta atrocidad!

Entorné los ojos. Me pareció soñar de nuevo, y volví a contemplar el verde e ilimitado prado; una vez más, mientras Ursula corría hacía mí, cuando su cuerpo ágil y juvenil atravesó apresuradamente el elevado prado tapizado de hierba y azucenas apareció otra figura, una que me resultó familiar...

—¡Sí, ya te veo! —exclamé dirigiéndome a esta visión en mi sueño, que había logrado rescatar a medias.

Pero tan pronto como la hube reconocido e identificado, la figura desapareció, y con ella todo recuerdo de la misma: el exquisito rostro, su cuerpo y su significado, su puro y poderoso significado. Las palabras huyeron de mí.

Vi a Florian alzar la vista, enojado, silencioso. Las manos de los guardias que estaban junto a mí se clavaron en mi carne.

—Silencio —dijeron al unísono, sus órdenes solapándose entre sí.

La hermosa música se elevó más y más, como si las agudas voces de soprano y las resonantes y sinuosas trompas quisieran obligarme a callar y prestar atención tan sólo al sacrílego bautismo.

La ceremonia comenzó. A la primera víctima, una anciana con la espalda encorvada, le quitaron sus míseras ropas y la lavaron derramando unos puñados de agua sobre ella en la pila bautismal, tras lo cual la condujeron hasta el comulgatorio. ¡Pobre mujer, tan frágil, tan desprotegida por sus parientes y sus ángeles guardianes!

Luego me tocó ver cómo desnudaban a los niños, contemplar sus piernecitas y sus nalgas desnudas, los huesudos hombros, las paletillas semejantes a alitas de ángel, y ver cómo se situaban temblando ante el largo comulgatorio de mármol.

Ocurrió de forma rápida.

—¡Malditos animales, pues eso es lo que sois, no unos airosos demonios, no! —murmuré, debatiéndome para obligar a los dos infames sirvientes que me tenían sujeto a que me soltaran—. ¡Sí, sois cobardes y serviles, cómplices de esta abominación! —La música sofocó mis oraciones—. Dios misericordioso, envíame tus ángeles —dije a mi corazón secreto—, envía a tus ángeles vengadores armados con su espada de fuego. ¡Dios, no soporto esto!

Ante el comulgatorio se hallaban dispuestas todas las víctimas, desnudas y temblorosas, mostrando el vívido color carnal que contrastaba con el luminoso mármol y los pálidos sacerdotes.

Las llamas de las velas danzaban sobre el gigantesco Lucifer, con sus enormes alas membranosas, el cual presidía el espectáculo.

El señor, Florian, tomó al primer comulgante en sus manos, y aproximó sus labios para beber.

Los tambores batían con fuerza y dulzura al tiempo que

las voces se mezclaban y ascendían hacia el cielo. Pero no había cielo alguno debajo de aquellas inmensas columnas de mármol blanco, de los arcos de encuentro. No había nada sino muerte.

Los miembros de la corte formaron dos hileras a ambos lados de la capilla y avanzaron en silencio hacia el comulgatorio, donde cada uno tomó a una víctima, indefensa y dispuesta para el sacrificio. El señor y su dama eligieron a sus víctimas, algunas de las cuales compartieron; una víctima pasó de mano en mano; y así prosiguió esta macabra ceremonia, una farsa, una bestial comunión.

Sólo Ursula permaneció inmóvil.

Lo comulgantes morían. Algunos ya estaban muertos. Ninguno cayó al suelo. Los exánimes cuerpos eran atrapados de forma hábil y silenciosa por los demonios acólitos, quienes se apresuraban a retirarlos.

Los acólitos bañaron a otras víctimas y las condujeron al comulgatorio. El espectáculo no terminaba nunca.

Florian bebió una y otra vez la sangre de los niños que colocaban ante él, sujetándolos por la nuca con sus finos dedos mientras acercaba los labios a los cuellos.

Me pregunté qué palabras en latín se atrevía a pronunciar en esos instantes.

Lentamente, los miembros de la corte abandonaron el santuario, avanzando por las naves laterales para ocupar de nuevo sus puestos. Estaban saciados.

El color de la sangre teñía los rostros otrora pálidos que invadían cada rincón de la capilla, y yo, que tenía la vista nublada y la cabeza rebosante de la bella música, tuve la impresión de que todos se habían convertido en humanos, al menos durante ese breve espacio de tiempo.

La voz de Florian llegó a mis oídos suave y firme a través de la amplia nave:

—Sí, somos humanos durante este instante, debido a la

sangre de los vivos. Hemos vuelto a encarnarnos, joven príncipe. Veo que lo has comprendido.

—Pero no lo perdono, señor —repliqué en un murmullo exasperado.

Se produjo un breve silencio, tras lo cual los tenores declararon:

«Ha llegado el momento..., la medianoche no ha concluido.»

Las férreas manos de los guardias que me sujetaban me obligaron a volverme hacia un lado, me sacaron del coro y descendimos por la escalera de caracol de mármol blanco.

Cuando salí de mi estupor, sostenido aún por mis celadores, y contemplé la nave central, sólo quedaba la pila bautismal. Todas las víctimas habían desaparecido.

Entonces trajeron una enorme cruz, que colocaron, invertida, a un lado del altar, apoyada contra el comulgatorio.

Florian alzó la mano para mostrarme cinco gigantescos clavos de hierro que sostenía, y me indicó que me aproximara.

Aseguraron la cruz en su lugar correspondiente, como si la instalaran con frecuencia en él. Era de excelente madera dura, gruesa, pesada y pulida, aunque mostraba las marcas de otros clavos, y sin duda las manchas de sangre de otras víctimas.

La base encajaba a los pies del comulgatorio, contra la barandilla de mármol, de forma que quien fuera clavado en ella estaría a un metro del suelo y visible para todos los fieles.

—¡Los fieles, esa pandilla de salvajes! —exclamé con una despectiva risotada.

Di gracias a Dios y a sus ángeles de que los ojos de mi padre y mi madre estuvieran deslumbrados por la luz celestial y no pudieran contemplar esta cruel degradación.

El anciano Godric me mostró las dos copas de oro que sostenía en sus manos.

Enseguida comprendí el significado. Con esas copas recogerían mi sangre a medida que manara de las heridas causadas por los clavos.

El anciano inclinó la cabeza.

Los guardias me obligaron a avanzar por la nave. La estatua de Lucifer aparecía cada vez más inmensa detrás de la resplandeciente figura pontificia de Florian. Mis pies apenas rozaron el mármol. Todos los miembros de la corte se volvieron para presenciar mi sacrificio, pero sin apartar la vista de su señor.

Hicieron que me detuviera ante la pila bautismal para lavarme el rostro.

Sacudí la cabeza, mojando a quienes trataban de lavarme. Los acólitos se mostraban cohibidos ante mí. Se acercaron y extendieron tímidamente las manos para desabrochar mis hebillas.

—Desnudadlo —ordenó Florian, mientras me enseñaba de nuevo los clavos que sostenía en la mano.

—Ya entiendo, cobarde señor —dije—. Es muy fácil crucificar a un joven como yo. ¡Que Dios se apiade de tu alma! ¡Hazlo, deleita a tu corte con el espectáculo!

Del balcón superior brotaron unas notas musicales. El coro se elevó de nuevo en respuesta y como contrapunto al himno que entonaban los tenores.

Yo no encontraba palabras para describir lo que sentía; sólo veía la luz de las velas y tenía la seguridad de que iban a despojarme de mi ropa para someterme a ese tormento, a esa sacrílega crucifixión, jamás santificada por san Pedro, pues la cruz invertida ya no es sino un símbolo del Maligno.

De pronto los acólitos apartaron sus temblorosas manos de mí.

En lo alto, las trompas ejecutaron su más bella y conmovedora canción.

Los tenores formularon una pregunta, con sus voces perfectas, desde el balcón superior:

«¿No podemos salvar a este joven? ¿No podemos salvar su vida?»

El coro entonó al unísono:

«¿No podemos librarlo del poder de Satanás?»

Ursula avanzó unos pasos, se quitó de la cabeza el inmenso y largo velo rojo que rozaba el suelo y lo arrojó de forma que descendió como una nube en torno a ella. A su lado apareció un acólito que sostenía en la mano mi espada y mis puñales.

De nuevos las voces de los tenores imploraron:

«Un alma liberada para que recorra el mundo, enloquecida, y relate sólo a los oídos más pacientes el poder de Satán.»

El coro cantó, ejecutando una polifónica melodía, y de pronto se apoderó de su cántico una inequívoca afirmación.

—¿Cómo, no voy a morir? —exclamé. Me volví para observar el rostro de Florian, en cuyas manos recaía esta decisión. Pero no alcancé a verlo.

El anciano Godric se había interpuesto entre ambos. Tras abrir con su rodilla la puerta que daba acceso al comulgatorio de mármol, avanzó hacia mí y me acercó a los labios una de las copas doradas.

—Bebe y olvida, Vittorio. Para que no perdamos el corazón y el alma de Ursula, debes perderla tú.

—¡No! —gritó Ursula—. ¡No!

Sobre el hombro de Godric vi a Ursula arrebatar de manos de Florian tres clavos y arrojarlos sobre el mármol. El volumen del coro se intensificó, elevándose hacia los arcos de la bóveda. No percibí el impacto de los clavos sobre la piedra.

El sonido del coro era jubiloso, festivo. El tono lastimero del réquiem se había esfumado.

—¡No, Dios, si deseas salvar el alma de Ursula, llévame a la cruz, tómame a mí!

Godric me acercó la copa a los labios, Ursula me obligó a abrir la mandíbula y el líquido se deslizó por mi garganta.

Poco antes de cerrar los ojos vi mi espada alzada ante mí, su larga hoja, la empuñadura, como si fuera una cruz.

Se oyeron unas risas tenues y burlonas que se mezclaban con la mágica e indescriptible belleza del coro.

El velo rojo de Ursula cayó sobre mí. Vi el tejido rojo alzarse ante mis ojos y lo sentí descender sobre mí como una lluvia prodigiosa, impregnado de su perfume y su ternura.

—Acompáñame, Ursula... —musité.

Ésas fueron mis últimas palabras.

«Expulsado», exclamaron las voces desde el balcón superior. «Expulsado...», exclamó el inmenso coro, al que parecían haberse unido las voces de los miembros de la corte. «Expulsado.» Cerré los ojos en el instante en que el velo rojo me cubrió el rostro, adhiriéndose como la tela de una bruja a mis dedos que intentaban apartarlo y sobre mis labios abiertos.

Las trompas proclamaron la verdad.

«¡Ha sido perdonado! ¡Expulsado!», cantaron las voces.

—Expulsado y condenado a la locura —me susurró Godric al oído—. Condenado a vagar enloquecido toda la eternidad, cuando te pudiste convertir en uno de nosotros.

—Sí, en uno de nosotros —apostilló Florian con suave e imperturbable voz.

—Estúpido —me espetó Godric—. Pudiste ser inmortal.

—Te habrías convertido en uno de nosotros, inmortal, imperecedero, y habrías reinado aquí en todo tu esplendor —declaró Florian.

—La inmortalidad o la muerte —dijo Godric—; ésas eran las opciones que se te ofrecían, pero estás condenado a vagar por el mundo enloquecido y vilipendiado por todos.

—Sí, enloquecido y vilipendiado —murmuró una voz infantil a mi oído. Y luego otra—: Enloquecido y vilipendiado.

—Enloquecido y vilipendiado —repitió Florian.

El coro siguió entonando el glorioso himno, ya sin ninguna aspereza en sus palabras, y resonó con fuerza en mis oídos pese a que estaba adormecido.

—Un loco obligado a vagar por el mundo, despreciado por todos —afirmó Godric.

Cegado, refugiado en la suavidad del velo, embriagado por la pócima que había bebido, fui incapaz de responderles. Creo que sonreí. Sus palabras resultaban vanas en comparación con las voces tranquilizadoras del coro. Eran tan estúpidos que ni siquiera se habían percatado de que lo que decían no tenía ninguna importancia.

—Pudiste ser nuestro joven príncipe. —¿Era la voz de Florian, que estaba junto a mí? ¡El frío e impávido Florian!—. Te habríamos amado como te ama ella.

—Un joven príncipe —dijo Godric—, que habría gobernado aquí, con nosotros, eternamente.

—Pero se ha convertido en el bufón de alquimistas y viejas comadres —comentó Florian en tono solemne.

—Sí —apostilló una voz juvenil—, ha sido un estúpido al abandonarnos.

Cuán milagrosos eran los himnos, que convertían sus palabras en unas meras sílabas dulces y polifónicas.

Sentí el beso de Ursula a través del velo. Creo que lo noté. En un tenue y femenino murmullo, dijo con sencillez, sin amargura:

—Amor mío.

Esa frase resumía su triunfo y su adiós.

Sentí que me sumía en el sueño más profundo y benévolo que Dios podía ofrecerme. La música dio forma a mi cuerpo, insufló aire en mis pulmones, cuando todos los sentidos me habían abandonado.

9

Ángeles que oímos cantar en las alturas

Llovía a cántaros. No, había cesado de llover. Pero no entendían lo que yo decía.

Me rodeaban unos hombres. Estábamos cerca del taller de Fra Filippo. Yo conocía la calle. Hacía apenas un año que había estado allí con mi padre.

—Habla más despacio. Corrr... plop... No tiene sentido.

—Queremos ayudarte —dijo el otro—. Dinos el nombre de tu padre. Pronúncialo poco a poco.

Ambos hombres menearon la cabeza, perplejos. Yo creía expresarme con claridad. Oía perfectamente lo que decía: Lorenzo di Raniari, el nombre de mi padre. ¿Por qué no lo oían ellos? Yo era su hijo, Vittorio di Raniari. Noté que tenía los labios hinchados. La lluvia me había puesto perdido.

—Llévenme al taller de Fra Filippo. Conozco a los que trabajan allí —dije.

Mi gran pintor, mi apasionado y atormentado pintor. Sus aprendices me reconocerían. Él no, pero sus aprendices me habían visto llorar aquel día al contemplar su obra. Luego quería que esos hombres me condujeran a casa de Cosme, en la Via del Largo.

—¿Fi, fi? —repitieron los hombres, imitando mis torpes intentos de pronunciar el nombre del gran pintor.

Había fracasado de nuevo.

Me dirigí hacia el taller. Tropecé y por poco caigo de bruces. Eran unos hombres honrados. Yo transportaba mis pesadas alforjas sobre el hombro derecho, y mi espada me golpeaba la pierna haciendo que perdiera el equilibrio. Tuve la sensación de que los elevados muros de Florencia se me venían encima. Por poco aterrizo en el suelo.

—¡Cosme! —grité.

—¡No podemos llevarte a casa de Cosme sin más! Se negará a recibirte.

—Por fin me han comprendido, me han oído.

Pero el hombre ladeó la cabeza, afanándose en entender lo que yo decía. Era un honrado comerciante que vestía un severo traje verde y estaba calado hasta los huesos, sin duda por mi culpa. Me negaba a ponerme a resguardo de la lluvia, porque ya no tenía sentido. Me habían encontrado tendido en medio de la Piazza della Signoria, bajo la lluvia.

—Ya lo recuerdo, lo recuerdo con claridad.

Vi la entrada del taller de Fra Filippo a unos metros de distancia. Estaban bajando las persianas. Habían vuelto a abrir el taller tras la tormenta, y el agua se secaba sobre las calles adoquinadas. Unas personas salieron del taller.

—¡Esos hombres que están ahí dentro! —grité.

—¿Qué dices?

Los comerciantes se encogieron de hombros, pero me ayudaron. El más anciano me sostuvo por el codo.

—Llevémoslo a San Marcos, allí le atenderán los monjes.

—¡No, no, debo hablar con Cosme! —protesté.

Los hombres volvieron a encogerse de hombros y menearon la cabeza, perplejos.

De pronto me detuve. Al notar que me tambaleaba un poco, me agarré con rudeza del hombro del comerciante más joven.

Observé el taller en la distancia.

Estaba en una pequeña callejuela, apenas lo bastante ancha para que pasaran los caballos y no lastimaran a los transeúntes; las fachadas de piedra prácticamente ocultaban el cielo encapotado. Algunas ventanas se encontraban abiertas, y parecía que bastaba con extender el brazo por la ventana para tocar la casa de enfrente.

¡Pero qué veían mis ojos allí, frente al taller!

¡Los vi a los dos con toda nitidez!

—Miren —dije de nuevo—. ¿No los ven?

Los comerciantes no podían verlos. ¡Por todos lo santos! Las dos figuras que se hallaban ante el taller emitían un fulgor como si estuvieran iluminadas desde el interior de su radiante piel y sus holgados ropajes.

Me eché las alforjas al hombro y apoyé la mano en la empuñadura de la espada. Podía sostenerme en pie, pero imagino que contemplaba a aquellas dos figuras con ojos como platos.

Los dos ángeles, cuyas alas oscilaban ligeramente al ritmo de sus palabras y sus gestos, estaban discutiendo ante la entrada del taller.

Discutían sin reparar en los humanos que pasaban junto a ellos y no podían verlos. Los dos ángeles eran rubios, yo los conocía a los dos por haberlos visto en las pinturas de Fra Filippo, y oía sus voces.

Reconocí los bucles de uno de ellos, cuya cabeza estaba coronada con una guirnalda de florecillas idénticas, el largo manto escarlata y la túnica de color azul celeste ribeteada de oro.

Al otro también lo conocía, reconocí su cabeza descubierta y su pelo esponjoso y más corto que el de su compañero, y el collar dorado y la insignia sobre su manto, así como las gruesas pulseras que lucía en las muñecas.

Pero ante todo reconocí sus rostros, las inocentes caras sonrosadas, los ojos serenos, grandes pero estrechos.

La luz era tenue, todavía sombría y tormentosa, aunque el sol lucía detrás de las plomizas nubes. Noté que mis ojos se humedecían.

—Observen sus alas —murmuré.

Los comerciantes no podían verlas.

—Reconozco esas alas. Los conozco a los dos; al ángel rubio, con esa cascada de bucles que se derrama sobre su cabeza, el que aparece en la *Anunciación* y tiene las alas como las de un pavo real, de un azul brillante, y el otro, que tiene las plumas cubiertas del más puro oro en polvo.

El ángel que lucía la coronita de flores gesticulaba muy excitado. Los gestos y la actitud agresiva habrían enfurecido a un hombre mortal, pero en realidad no discutían de forma acalorada. El ángel sólo intentaba explicarse.

Me moví despacio, apartándome de mis amables acompañantes, quienes no podían ver lo que veía yo.

¿Qué creían que miraba yo? La puerta del taller, los aprendices en las sombras del interior del taller, unos breves fragmentos de paneles y lienzos a medio pintar, el amplio vestíbulo más allá del cual se realizaba el trabajo.

El otro ángel meneó la cabeza con expresión sombría.

—No estoy de acuerdo —dijo con voz serena y melodiosa—. No podemos extralimitarnos. ¿Crees acaso que no me duele, que no me hace llorar?

—¿Qué es lo que te hace llorar? —pregunté.

Ambos ángeles se volvieron y me miraron. Entonces plegaron los dos sus oscuras, multicolores y vistosas alas, como si quisieran encogerse hasta hacerse invisibles, aunque yo les veía con claridad: resplandecientes, rubios, perfectamente reconocibles. Ambos me miraron estupefactos. ¿Por qué me mirarían así?

—¡Gabriel! —exclamé, señalando con el dedo—. Te conozco, te he visto en la *Anunciación*. Los dos sois Gabriel, conozco las pinturas, os he visto: Gabriel y Gabriel, ¿cómo es posible?

—Puede vernos —dijo el ángel que gesticulaba con vehemencia. Tenía una voz suave pero la oí con total nitidez—. Puede oírnos —añadió al tiempo que su expresión de asombro se acentuaba; poseía un aire inocente y paciente, algo preocupado.

—Pero ¿qué dices, muchacho? —preguntó el comerciante que estaba junto a mí—. Serénate. Llevas una fortuna en esas alforjas. Tienes los dedos cargados de anillos. Procura hablar con sensatez. Te llevaré junto a tus familiares, pero debes decirme quiénes son.

Yo asentí sonriendo, pero sin quitar ojo a los sobresaltados y atónitos ángeles. Sus ropas parecían ligeras, casi translúcidas, como si no estuvieran hechas de un tejido natural, del mismo modo que su piel incandescente tampoco parecía natural. Todo su aspecto era más exquisito de lo normal, como entretejido de luz.

Unos seres compuestos de aire, de propósito, de presencia y de actos. ¿Eran ésas las palabras de santo Tomás de Aquino, la *Suma teológica* con la cual yo había aprendido latín?

Qué prodigiosamente bellos eran, tan distantes y a salvo de cuanto les rodeaba; inmóviles en mitad de la calle, envueltos en su serena e ingenua sencillez, observándome con aire pensativo, compasivo, curioso.

Uno de ellos, el que lucía la guirnalda de flores, el de las mangas de color azul celeste, el que había logrado conmoverme cuando contemplé la *Anunciación* junto a mi padre, el ángel del que me había enamorado, avanzó hacia mí.

Al aproximarse su tamaño aumentó, haciéndose más alto y voluminoso. Mientras avanzaba en silencio, ataviado con sus holgadas y airosas ropas, rebosaba tanto amor que parecía más inmaterial y monumentalmente sólido, más reflejo de la creación divina que cualquier ser de carne y hueso.

El ángel sacudió la cabeza y sonrió.

—No, tú eres la mejor expresión de la creación divina —dijo con una voz suave que sin embargo traspasó el parloteo que me rodeaba.

Caminaba como un ser mortal, pisando con sus pies desnudos los sucios adoquines de la calle florentina, sin reparar en los hombres que no podían verlo pese a que el ángel estaba junto a mí. Entonces abrió las alas y volvió a plegarlas, de forma que sólo alcancé a ver los huesos cubiertos de plumas que asomaban sobre sus hombros estrechos como los de un muchacho.

Tenía el rostro límpido, teñido por el radiante color que le confiriera Fra Filippo en la pintura. Cuando sonrió, advertí que mi cuerpo temblaba violentamente de puro gozo.

—¿Es ésta mi locura, arcángel? —pregunté—. ¿Acaso se ha cumplido la maldición de los demonios, que afirmaron que vería visiones y suscitaría el desprecio de hombres instruidos?

Mi perorata sobresaltó a los caballeros que trataban de ayudarme. Estaban desconcertados.

—¿Qué? Pero ¿qué dices?

En un esplendoroso instante recordé un detalle que me luminó el corazón, el alma y la mente, como si el sol inundara una celda lóbrega y siniestra.

—Fue a ti a quien vi en el prado, cuando ella bebió mi sangre.

El ángel, ese ángel frío y sereno que lucía multitud de rubios e inmaculados bucles y unas mejillas lozanas y plácidas, me miró a los ojos.

—Eres el arcángel Gabriel —dije con tono reverente.

Tenía los ojos llenos de lágrimas y sentí deseos de cantar y llorar a un tiempo.

—Pobre muchacho —comentó el comerciante de más edad—. No hay ningún ángel frente a ti. Presta atención, te lo ruego.

—Ellos no nos ven —afirmó el ángel esbozando de nuevo una sonrisa amable y radiante.

En sus ojos se reflejaba la luz del cielo, que había comenzado a despejarse. Me miró como si a medida que me observaba fuera penetrando en lo más hondo de mi alma.

—Lo sé —respondí—. ¡Ellos no lo saben!

—Pero yo no soy Gabriel, no debes llamarme así —replicó el ángel en tono cortés y sosegado—. No soy el arcángel Gabriel, mi joven amigo, sino Setheus, un simple ángel guardián.

Qué paciente se mostraba conmigo, con mi llanto y la colección de mortales ciegos y preocupados que nos rodeaban.

Estaba tan cerca de mí que habría podido tocarlo, pero no me atreví.

—¿Mi ángel de la guarda? —pregunté—. ¿Es eso cierto?

—No —contestó el ángel—. No soy tu ángel de la guarda. A ésos debes buscarlos por tu cuenta. Ya has visto a los ángeles guardianes de otros, aunque no me explico cómo ni por qué.

—No te pongas a rezar ahora —protestó el anciano, malhumorado—. Dinos quién eres, muchacho. Antes pronunciaste un nombre, el de tu padre. Repítelo.

El otro ángel, que permanecía inmóvil como si estuviera demasiado estupefacto para moverse, de pronto dejó a un lado toda reserva y avanzó hacia nosotros descalzo y en silencio, con el mismo porte airoso que su compañero, como si las ásperas piedras, los charcos y la tierra no pudieran ensuciarlo o lastimarlo.

—¿Crees que esto es prudente, Setheus? —inquirió, aunque sus ojos pálidos e iridiscentes me observaron con la misma afectuosa curiosidad, el mismo intenso y tolerante interés que mostrara el otro.

—Tú apareces en la otra pintura. También te conozco; te amo con todo mi corazón —dije.

—¿Con quién hablas, hijo? —preguntó el comerciante más joven—. ¿A quién amas con todo tu corazón?

—¿Entonces puede oírme? —repuse volviéndome hacia el comerciante—. ¿Me entiende?

—Sí, sí, pero dinos tu nombre.

—Vittorio di Raniari —contesté—, amigo y aliado de los Médicis, hijo de Lorenzo di Raniari, del castillo Raniari, en el norte de Toscana. Mi padre ha muerto, y toda mi familia. Pero...

Los dos ángeles se hallaban ante mí, juntos, uno con la cabeza inclinada hacia el otro mientras ambos me contemplaban. Tuve la certeza de que los mortales, a pesar de su ceguera, no podían entorpecer la visión de los ángeles ni interponerse entre ellos y yo. ¡Cuánto ansiaba tocarlos! Pero me faltaba valor.

El primero que había hablado alzó sus alas y, a medida que éstas se agitaban y estremecían, me pareció que derramaban una suave lluvia de polvo de oro, pero nada era comparable al rostro pensativo y perplejo del ángel.

—Deja que te lleven a San Marcos —dijo el ángel llamado Setheus—. Permite que te acompañen hasta allí. Son buena gente y te dejarán al cuidado de los monjes, que te instalarán en una celda. No podrías estar en un lugar mejor, pues esa casa se encuentra bajo el mecenazgo de Cosme, y como sabes Fra Giovanni ha decorado la celda que tú ocuparás.

—Setheus, él ya sabe esas cosas —comentó el otro ángel.

—Sí, pero deseo tranquilizarlo —repuso Setheus encogiéndose levemente de hombros mientras observaba algo desconcertado a su compañero.

Nada caracterizaba sus rostros de forma tan marcada como aquella expresión de ligero desconcierto

—Pero tú —dije—, Setheus, ¿puedo llamarte por tu nombre?, no dejarás que me separen de ti, ¿verdad? No lo hagas. Te ruego que no me abandones. Te lo suplico. No me dejes.

—Debemos dejarte —contestó el otro ángel—. No somos tus guardianes. ¿Cómo es que no puedes ver a tus ángeles guardianes?

—Espera, conozco tu nombre. Puedo oírlo.

—No —replicó este ángel, que era más quisquilloso, al tiempo que agitaba un dedo como si regañara a un niño.

Pero yo continué:

—Conozco tu nombre. Lo oí cuando estabais discutiendo, y lo oigo ahora al contemplar tu rostro. Ramiel, así te llamas. Los dos sois los ángeles guardianes de Fra Filippo.

—Esto es un desastre —murmuró Ramiel con expresión de disgusto—. ¿Cómo ha podido ocurrir?

Setheus meneó la cabeza y esbozó de nuevo una sonrisa.

—Está claro que nuestra obligación es ir con él.

—¿Ahora? ¿Quieres que partamos ahora mismo? —preguntó Ramiel, que a pesar su impaciencia no estaba enojado.

Era como si sus pensamientos estuvieran depurados de todo sentimiento ruin, como por otra parte era normal tratándose de ángeles.

Setheus se inclinó hacia el anciano, quien, por supuesto, no podía verlo ni oírlo, y le susurró al oído:

—Lleva al chico a San Marcos; haz que lo instalen en una buena celda, pues tiene dinero de sobra para pagarla, y pide a los monjes que cuiden de él hasta que se restablezca. —Luego me miró y añadió—: Nosotros te acompañaremos.

—No podemos hacer eso —protestó Ramiel—. No podemos dejar a la persona que está a nuestro cargo; ¿cómo vamos a hacer semejante cosa sin permiso?

—Debemos hacerlo. Tenemos permiso. Estoy seguro de ello —insistió Setheus—. ¿No comprendes qué ha ocurrido? Él nos ha visto, nos ha oído y ha captado tu nombre, y habría captado el mío de no habérselo revelado yo. Pobre Vittorio, iremos contigo.

Yo asentí, a punto de llorar al oír que los ángeles se dirigían a mí. La calle había adquirido un aire gris, silencioso y vago en torno a sus imponentes y radiantes figuras; la sutil luminosidad de sus prendas oscilaba en torno a ellos como si el tejido celestial fuera agitado por unas corrientes de aire que los mortales no percibían.

—¡Éstos no son nuestros nombres auténticos! —me reprendió Ramiel, aunque con la suavidad que se emplea al regañar a un niño.

Setheus sonrió.

—Puedes llamarnos por esos nombres, Vittorio —dijo.

—Sí, llevémoslo a San Marcos —dijo el hombre que estaba a mi lado—. Vamos. Los monjes se ocuparán de él.

Los comerciantes me condujeron hacia la embocadura de la calle.

—En San Marcos estarás muy bien atendido —comentó Ramiel, como si se despidiera de mí.

Sin embargo los dos ángeles echaron a andar con nosotros, un poco rezagados.

—¡No me abandonéis! ¡No podéis hacerlo! —rogué a los ángeles.

Éstos parecían perplejos. Sus hermosas túnicas plisadas de gasa no estaban manchadas por la lluvia, los dobladillos aparecían relucientes e inmaculados como si no hubieran rozado el suelo, y sus pies desnudos ofrecían un aspecto exquisitamente tierno mientras seguían nuestros pasos.

—De acuerdo —consintió Setheus—. No te inquietes, Vittorio. Iremos contigo.

—No podemos dejar a la persona que se encuentra a nuestro cargo para irnos con otra, no es correcto —siguió protestando Ramiel.

—Es deseo de Dios. ¿Cómo vamos a contrariarle?

—¿Y Mastema? ¿No deberíamos preguntárselo a Mastema? —sugirió Ramiel.

—¿Por qué? Él ya debe de saberlo.

Los ángeles se pusieron de nuevo a discutir, detrás de nosotros, mientras yo me apresuraba por la calle.

El cielo plomizo resplandecía; luego palideció y en el preciso instante en que llegamos a la plaza dio paso al color azul. El sol me deslumbró, hizo que me sintiera mareado; sin embargo lo deseaba con fervor, lo ansiaba, aunque él me rechazase y me azotara.

Faltaba poco para llegar a San Marcos. Las piernas apenas me sostenían. Mientras avanzaba no dejaba de volverme.

Las dos lustrosas y doradas figuras nos seguían en silencio; Setheus me indicó que no me detuviera.

—Descuida, estamos aquí, contigo —dijo el ángel.

—¡No sé yo si obramos bien! —terció Ramiel—. Filippo jamás se había metido en un lío tan gordo, jamás había caído en semejante tentación, en semejante ignominia...

—Por eso nos han apartado de él, para que no nos inmiscuyamos en lo que tiene que ocurrir. Sabemos que estábamos a punto de tener problemas debido a Filippo y a lo que éste ha hecho. ¡Ay, Filippo, veo el panorama con toda claridad!

—¿De qué están hablando? —pregunté a los comerciantes—. No sé qué dicen sobre Fra Filippo.

—¿Quién está hablando, si puede saberse? —replicó el anciano meneando la cabeza mientras escoltaba por la calle a este joven desquiciado que cargaba una molesta y ruidosa espada.

—Calla, muchacho —me indicó el otro hombre, que sostenía prácticamente todo mi peso—. Comprendemos lo que dices, pero estás desvariando; hablas con gente a la que no vemos ni oímos.

—Fra Filippo, el pintor..., ¿qué le ha ocurrido? —quise saber—. Tiene problemas.

—Es intolerable —declaró el ángel Ramiel a mis espaldas—. Es impensable que eso ocurra. Según mi opinión, que nadie me la ha preguntado ni me la preguntará, si Florencia no estuviera en guerra con Venecia, Cosme de Médicis protegería a su pintor de esto.

—¿Pero de qué lo protegería? —pregunté mirando al anciano a los ojos.

—Obedéceme, hijo —repuso el anciano—. Camina derecho y deja de golpearme con esa espada. Eres un gran señor, eso se ve a la legua; el apellido Raniari me suena, creo haber oído decir que proviene de las distantes montañas de la Toscana, y el oro que luces en la mano derecha pesa más que la dote de mis dos hijas juntas, pero no me grites en la cara.

—Lo lamento, no pretendí hacerlo. Es que los ángeles no se expresan con claridad.

El otro hombre que me sostenía amablemente, que me ayudaba a portar las alforjas que contenían toda mi fortuna, sin siquiera tratar de robarme nada, dijo:

—Si te interesas por Fra Filippo, debes saber que vuelve a estar en graves apuros. Lo han torturado. Lo han sometido al potro de tormento.

—¡No, es imposible que le ocurra eso a Fra Filippo Lippi! —Me detuve en seco y grité—: ¿Quién sería capaz de hacerle algo así al gran pintor?

Me volví, y los dos ángeles de pronto se cubrieron el rostro con las manos, con la misma delicadeza con que Ursula se cubriera el suyo, y rompieron a llorar. Pero sus lágrimas eran maravillosamente cristalinas y transparentes. Se limitaron a mirarme. De pronto sentí un intenso dolor al pensar en Ursula. «¡Qué hermosas son estas criaturas! ¿En qué panteón oculto debajo de la Corte del Grial de Rubí duermes que no eres capaz de verlas, de contemplar su silencioso caminar a través de las calles de la ciudad?»

—Es cierto —dijo Ramiel—. Por desgracia lo es. ¿Qué clase de ángeles guardianes somos que hemos permitido que Filippo, un pendenciero y un embaucador, se metiera en estos problemas? ¿Cómo es que no hemos sabido impedirlo?

—Sólo somos ángeles —respondió Setheus—. Ramiel, no debemos juzgar a Filippo. No somos jueces, sino guardianes, y por el bien del muchacho, que tanto le quiere, no digas esas cosas.

—No pueden torturar a Fra Filippo Lippi —protesté—. ¿A quién ha embaucado?

—A él mismo —contestó el anciano—. Esta vez se ha engañado a sí mismo. Vendió un cuadro que le encargaron, y todo el mundo sabe que buena parte de la obra la pintó uno de sus aprendices. Lo han sometido al potro de tormento, pero no ha salido muy maltrecho.

—¡Menos mal! ¡Qué hombre tan magnífico! —exclamé—. Pero dicen que le han torturado. ¿Por qué, cómo puede alguien justificar esa estupidez, esa ofensa? Es un agravio contra los Médicis.

—Silencio, jovencito; Filippo ha confesado —respondió el más joven de los mortales—. El asunto prácticamente está zanjado. ¡Menudo monje el tal Fra Filippo Lippi! Cuando no se dedica a perseguir a las mujeres, se mete en una bronca.

Habíamos llegado a San Marcos. Nos detuvimos delante de la puerta del monasterio, que estaba situada al nivel de la calle, al igual que todos esos edificios en Florencia, como si las aguas del Arno no se desbordaran nunca, lo cual sucedía de vez en cuando. ¡Cuánto me alegré de contemplar ese paraíso!

Pero en mi mente bullían mil pensamientos. El recuerdo de los demonios y el horrendo crimen quedó borrado por el espantoso hecho de que el artista a quien yo más amaba en el mundo había sufrido el potro de tormento como si se tratara de un vulgar criminal.

—A veces, Filippo se comporta como... un vulgar criminal —dijo Ramiel.

—Pagará una multa y problema resuelto —dijo el anciano comerciante. Tiró de la campanita del monasterio para que los monjes nos abrieran la puerta. Luego me dio una palmadita con una mano larga, cansada y seca—. Deja de lloriquear, criatura, basta ya. Filippo es un pelmazo, lo sabe todo el mundo. ¡Ojalá tuviera una mínima parte de la santidad de Fra Giovanni!

Al hablar de Fra Giovanni se referían, por supuesto, al gran Fra Angelico, el pintor que unos siglos más tarde haría que la gente se arrodillara estupefacta ante sus pinturas, y fue en ese monasterio que Fra Giovanni trabajaba y vivía; fue ahí donde pintó para Cosme las celdas de los monjes.

¿Qué podía decir yo?

—Sí, sí, Fra Giovanni, pero yo no... yo... no le amo.

Desde luego le quería, le respetaba a él y su maravillosa obra, pero no sentía por él el amor que me inspiraba Filippo, el pintor al que sólo había visto una vez. ¿Cómo podía explicar esas cosas tan extrañas?

De pronto me acometieron unas ganas de vomitar irreprimibles. Me aparté de los amables comerciantes que intentaban ayudarme y arrojé en plena calle todo cuanto tenía en el buche, la sanguinolenta porquería que me habían dado a beber los demonios. Observé cómo caía de mis labios y se escurría por la calle. Olí el pútrido hedor y vi cómo aquel mejunje medio digerido, compuesto de vino y sangre, se filtraba por las grietas entre los adoquines.

En aquellos momentos se manifestó todo el horror de la Corte del Grial de Rubí. Se apoderó de mí una profunda sensación de impotencia, y oí a los demonios susurrarme al oído «loco y vilipendiado»; entonces dudé de todo cuanto había visto, de lo que yo era, de lo que me habían revelado hacía unos momentos. Mi padre y yo cabalgábamos juntos a través de un bosque de ensueño, hablando sobre las pinturas de Filippo. Yo era un joven aristócrata y tenía el mundo ante mí; el intenso y grato aroma de los caballos se mezclaba con la fragancia del bosque.

«Loco y vilipendiado. Loco, cuando pudiste haber sido inmortal.»

Cuando me enderecé de nuevo, me apoyé contra el muro del monasterio. La luz que emanaba del firmamento azul era tan intensa que cerré los ojos, pero me deleité en su calor. Poco a poco las náuseas se disiparon y traté de serenarme, de reprimir el dolor que me producía la luz para amarla y confiar en ella.

Ante mí vi el rostro del ángel Setheus, a medio metro de distancia, mirándome con aire preocupado.

—Gracias a Dios que estás aquí —musité.

—Sí, te lo prometí —contestó él.

—No me abandonarás, ¿verdad? —pregunté.

—No —respondió el ángel.

Ramiel me observaba por encima del hombro de su compañero, como si por primera vez me examinara detenidamente y con interés. Su pelo corto y suelto le daba un aspecto más joven que el otro, aunque esas diferencias no tenían la menor importancia.

—Ni la más mínima —murmuró Ramiel al tiempo que sonreía también por primera vez.

—Haz lo que te indican esas amables personas —dijo Ramiel—. Deja que te conduzcan al interior del monasterio, para que concilies un sueño profundo y natural, y cuando te despiertes me hallarás junto a ti.

—Pero es un horror, una historia de horrores —murmuré—. Filippo jamás pintó esos horrores.

—No somos unos seres pintados —terció Setheus—. Lo que Dios nos tiene reservado lo averiguaremos juntos, tú, Ramiel y yo. Ahora debes entrar. Los monjes ya están aquí. Te dejamos a su cuidado, y cuando despiertes nos verás junto a ti.

—Como la oración —murmuré.

—Así es —contestó Ramiel.

El ángel alzó la mano. Vi la sombra de sus cinco dedos y sentí su tacto sedoso cuando me cerró los párpados.

10

Donde converso con los inocentes y poderosos hijos de Dios

Me sumí en un sueño profundo, sí, pero no hasta mucho más tarde. Vi, en unas imágenes confusas y protectoras, un maravilloso país de cuento de hadas. Un fornido monje y sus asistentes me transportaron al interior del monasterio de San Marcos.

No existía mejor lugar para mí en toda Florencia, salvo quizá la casa de Cosme, que el monasterio de los dominicos de San Marcos.

Ahora bien, en toda Florencia existen muchos edificios exquisitos, de tal magnificencia que de niño era incapaz de catalogar en mi mente todas las riquezas que veía ante mí.

Pero creo que no existe un claustro más sereno que el de San Marcos, el cual había sido renovado recientemente por el humilde y honrado Michelozzo a petición de Cosme el Viejo. Tenía una larga y venerable historia en Florencia, y había sido cedido hacía relativamente poco a los dominicos. Estaba dotado de unos aspectos sublimes que no poseían otros monasterios.

Como sabía toda Florencia, Cosme había invertido una fortuna en San Marcos, acaso para compensar todo el dinero que había ganado con la usura, pues como banquero cobraba intereses a sus clientes y por tanto era un usurero, aunque también lo eran quienes depositaban dinero en su banco.

Sea como fuere, Cosme, nuestro cabecilla, nuestro auténtico líder, amaba ese lugar y lo había dotado de numerosos tesoros, aunque el mejor sin duda eran los edificios nuevos, de unas proporciones soberbias.

Los detractores, esos que protestan contra todo, esos que nunca hacen nada extraordinario y sospechan de todo lo que no se encuentra en un estado de perpetua degradación, decían sobre él: «Manda grabar su escudo de armas hasta en los excusados de los monjes.»

Por cierto, el escudo de armas exhibe cinco protuberantes bolas sobre el mismo, cuyo significado ha merecido diversas explicaciones; pero lo que sus enemigos venían a decir era que Cosme colgaba sus pelotas sobre los excusados de los monjes. ¡Qué más quisieran sus enemigos que tener esos excusados o esas pelotas!

Habría sido más inteligente por parte de esos hombres señalar que Cosme pasaba muchos días en el monasterio entregado a la meditación y la oración, y que el antiguo prior, Fra Antonino, gran amigo y consejero de Cosme, era ahora arzobispo de Florencia.

Pero el mundo está lleno de ignorantes y todavía hoy, al cabo de quinientos años, hay quienes se dedican a chismorrear sobre Cosme.

Cuando traspuse la puerta pensé: «¿Qué diantres voy a decir a estas gentes en la casa de Dios?»

En cuanto ese pensamiento hubo surgido en mi adormecida mente y, me temo que de mi drogada y adormecida boca, oí a Ramiel soltar una risotada a mi oído.

Traté de comprobar si estaba a mi lado, pero volví a sentir náuseas y a desvariar, y estaba tan mareado que sólo reparé en que habíamos penetrado en el claustro más apacible y grato que yo jamás viera.

El sol hería mis ojos, por lo que en aquellos momentos no pude agradecer a Dios la belleza de aquel jardín cuadrado y frondoso que ocupaba el centro, pero distinguí con nitidez y agrado los arcos bajos y redondeados que creó Michelozzo, unos arcos que formaban el suave y pálido techo abovedado del claustro.

El equilibrio que mostraban las columnas de unos contornos purísimos, con sus pequeños capiteles jónicos, contribuía a mi sensación de seguridad y paz. Las proporciones constituían la especialidad de Michelozzo. Cuando construía un lugar, lo abría. Y estas espaciosas logias eran su sello personal.

Nada podía borrar de mi memoria el recuerdo de los gigantescos y afilados arcos góticos del castillo francés ubicado en el norte, ni de las torres de piedra adornadas con filigranas que parecían señalar con aversión al Todopoderoso. Y aunque yo sabía que juzgaba de modo erróneo ese estilo arquitectónico y su propósito (antes de que se apoderaran de él Florian y su Corte del Grial de Rubí, éste se había originado gracias a los devotos esfuerzos de los franceses y los germanos), no lograba eliminar aquella odiosa visión de mi mente.

Al tiempo que trataba desesperadamente de contener los vómitos, me relajé y admiré este edificio florentino.

Un monje corpulento como un oso, que sonreía con su habitual e inveterada afabilidad, me transportó en sus fornidos brazos a través del claustro, a través del jardín abrasado por el sol, seguido por otros monjes que vestían holgados hábitos negros y blancos; sus rostros enjutos y radiantes formaban un círculo en torno a nosotros mientras avanzábamos apresuradamente. Por más que miré, no vi a mis ángeles. Sin embargo esos hombres eran lo más parecido a unos ángeles que existe en el mundo.

No tardé en percatarme, debido a mis anteriores visitas a este imponente lugar, de que no me conducían al hospicio, donde administraban fármacos a los enfermos de Florencia, ni tampoco al refugio de los peregrinos, siempre atestado de gente que acudía a hacer ofrendas y rezar, sino que subíamos la escalera del edificio donde se encontraban las celdas de los monjes.

Mareado ante aquella belleza y sintiendo un nudo en la garganta, contemplé en la cima de la escalera, extendido sobre el muro, el fresco de la *Anunciación* de Fra Giovanni.

¡La *Anunciación*! Mi pintura favorita, la que significaba más para mí que cualquier otro motivo religioso.

No es que fuera la obra cumbre de mi turbulento Filippo Lippi, no, pero era mi pintura, y esto sin duda representaba un augurio de que ningún demonio puede condenar a un alma a través del veneno que contenga la sangre que le obliga a beber.

«¿Te obligaron también a beber la sangre de Ursula? (Qué pensamiento tan horrendo.) Trata de no recordar sus suaves dedos, cuando la separaron de ti por la fuerza, estúpido borracho, trata de no recordar sus labios y el largo y húmedo beso de sangre que derramó en tu boca.»

—¡Miradla! —exclamé, señalando con un brazo fláccido la pintura.

—Sí, sí, aquí hay muchas —respondió sonriendo el corpulento monje que me recordaba a un oso.

El autor era, por supuesto, Fra Giovanni. Cualquiera se habría dado cuenta a simple vista. Además, yo conocía ese cuadro y Fra Giovanni (permita el lector que le recuerde de nuevo que se trataba de Fra Angelico) había pintado un ángel y una Virgen de aspecto severo, apacible, tierno pero sencillo, humilde y desprovisto de adornos. La visitación tenía lugar entre los arcos bajos y redondos como los que formaban el claustro que acabábamos de abandonar.

Cuando el monje dio media vuelta para conducirme a través de aquel corredor tan ancho como pulido, austero y hermoso, intenté formar las palabras mientras portaba la imagen del ángel en mi mente.

Deseaba decir a Ramiel y a Setheus, suponiendo que estuvieran aún junto a mí: «¡Fijaos en Gabriel, sus alas sólo presentan unas sencillas listas de color, y fijaos cómo su túnica cae en pliegues simétricos y disciplinados!» Todo esto yo lo comprendía, al igual que comprendía la impresionante grandiosidad de Ramiel y Setheus, pero desvariaba de nuevo.

—Los halos —dije—. ¡Eh, vosotros dos! ¿Dónde os habéis metido? Vuestros halos aparecen suspendidos sobre vuestras cabezas. Yo los he visto. Los he visto en la calle y en las pinturas. Sin embargo en la pintura de Fra Giovanni el halo es plano y rodea el rostro pintado, un disco duro y dorado en el centro de la obra...

Los monjes se echaron a reír.

—¿Con quién hablas, joven señor Vittorio di Raniari? —preguntó uno de ellos.

—Silencio, muchacho —dijo el monje corpulento; advertí las vibraciones de la resonante voz de bajo a través de su poderoso pecho—. Te cuidaremos con mimo. Pero ahora debes guardar silencio. Mira, esto es la biblioteca, ¿ves a esos monjes que trabajan ahí?

Era evidente que se sentían orgullosos. Aunque mientras me transportaba en brazos podría haber vomitado sobre el inmaculado suelo, el monje se volvió para que yo viera a través de la puerta entreabierta la larga habitación atestada de libros y monjes trabajando, y de paso contemplé de nuevo el techo abovedado de Michelozzo; allí no se elevaba hasta el infinito, sino que se curvaba con suavidad sobre las cabezas de los monjes y dejaba que sobre ellos se alzara un volumen importante de luz y aire.

Me pareció ver visiones. Vi unas figuras múltiples y triples en lugar de una sola unidad, y durante unos segundos de brumosa confusión unas alas angelicales y unos rostros ovalados que me observaban a través del misterioso velo de lo sobrenatural.

—¿No los veis? —fue cuanto atiné a decir.

Tenía que entrar en la biblioteca y encontrar los textos que definían a los demonios. ¡Sí, no había renunciado a mi empeño! ¡No era un idiota babeante! Contaba con la ayuda de unos ángeles de Dios. Llevaría a Ramiel y a Setheus a la biblioteca y les mostraría los textos.

Lo sabemos, Vittorio, borra esas imágenes de tu mente, podemos verlas.

—¿Dónde estáis? —pregunté.

—Silencio —respondieron los monjes.

—¿Me ayudaréis a regresar allí para matarlos?

—Estás desvariando —dijeron los monjes.

Cosme era el custodio de esa biblioteca. A la muerte del viejo Niccolo de' Niccoli, un maravilloso coleccionista de libros con el que yo había conversado muchas veces en la biblioteca de Vespasiano, Cosme donó todos sus libros religiosos, y quizás otros, a este monasterio.

Yo estaba convencido de que en esa biblioteca hallaría la prueba, en las obras de san Agustín o santo Tomás de Aquino, sobre los diablos contra los que yo había luchado.

No. No estaba loco. No había capitulado. No era un idiota. ¡Ojalá que el sol no penetrara por las pequeñas y elevadas ventanas de ese espacioso lugar para abrasarme los globos oculares y las manos!

—Silencio, silencio —dijo el corpulento monje, sin dejar de sonreír—. Balbuceas como un bebé: aaah, gú, gú gú. ¿No te oyes? Atiende, en la biblioteca están muy ocupados. Hoy se encuentra abierta al público. Todos andamos hoy muy ajetreados.

El monje echó de nuevo a andar, dejando atrás la biblioteca, y me condujo a una celda.

—Por aquí... —continuó, como si tratara de aplacar a un niño rebelde—. A pocos pasos de aquí está la celda del prior, ¿y a que no imaginas quién está allí en estos momentos? El mismísimo arzobispo.

—Antonino —murmuré.

—En efecto, has acertado. Hace un tiempo, nuestro Antonino. ¿Y a que no adivinas qué ha venido a hacer aquí?

Me sentía tan mareado que no respondí. Los monjes que me rodeaban me enjugaron el rostro con unos trapos fríos y me alisaron el pelo.

Era una celda espaciosa y pulcra. ¡Ojalá dejara de lucir el sol! ¿Qué me habían hecho aquellos demonios? ¿Acaso me habían convertido en un ser medio demoníaco? No me atrevía a pedir que me acercaran un espejo.

En cuanto me depositaron sobre el grueso y mullido lecho, en este lugar cálido y limpio, perdí todo control sobre mi cuerpo y volví a vomitar.

Los monjes me lavaron con el agua de una jofaina de plata. Los rayos del sol incidían sobre un fresco, pero yo no soportaba contemplar las resplandecientes figuras bajo esa luz que me cegaba. Tenía la sensación de que en la celda había otras figuras. ¿Serían ángeles? Vi unos seres translúcidos moverse, deslizarse por la habitación, pero no lograba distinguir con claridad su silueta. Sólo el fresco cuyos colores ardían sobre el muro parecía sólido, válido, real.

—¿Me han dejado ciego para siempre? —pregunté. Creí vislumbrar una forma angelical en la puerta de la celda, pero no era la figura de Setheus ni la de Ramiel. ¿Tenía unas alas dotadas de membranas? ¿Unas alas de demonio? La contemplé aterrorizado.

La figura desapareció al instante. Un murmullo, un rumor vago: *«Lo sabemos.»*

—¿Dónde están mis ángeles? —pregunté. Sollocé. Pronuncié los nombres de mi padre, del padre de éste y de todos los Di Raniari que recordaba.

—Chitón —me reprendió el joven monje—. Cosme ha sido informado de que estás aquí. Éste es un día aciago. Nos acordamos de tus padres. Pero ahora deja que te quitemos esas ropas inmundas.

La cabeza me daba vueltas. La habitación había desaparecido.

Me quedé dormido de repente. Vislumbré durante unos

segundos a mi salvadora Ursula. Corría a través del frondoso prado. ¿Quién la perseguía, quién le obligaba a huir entre las flores que se mecían bajo la brisa? Estaba rodeada por unas azucenas color púrpura, las cuales pisoteaba en su frenética carrera. De pronto se volvió. «¡No te vuelvas, Ursula! ¿No ves esa espada llameante?»

Me desperté en un cálido baño. ¿Era la diabólica pila bautismal? No. Distinguí vagamente el fresco, las figuras sagradas, y de forma más precisa a los monjes reales que me rodeaban, arrodillados sobre el suelo de piedra, arremangados, lavándome con un agua cálida y perfumada.

—Ese Francesco Sforza... —Hablaban entre sí en latín—. ¡Ha invadido Milán y se ha apropiado del ducado! Como si Cosme no tuviera suficientes problemas sin ese canalla de Sforza.

—¿Es cierto? —pregunté—. ¿Ha tomado Milán?

—¿Qué has dicho? Sí, hijo, es cierto. Ha roto la tregua de paz. Y tu familia, todos los miembros de tu familia perecieron a manos de los saqueadores. Pero no creas que el crimen quedará impune. ¡Malditos venecianos, no pueden pasar como hordas salvajes por esa región...!

—No debéis decírselo a Cosme. Lo que le ocurrió a mi familia no fue una acción de guerra, no lo hicieron unos seres humanos...

—Calla, hijo.

Las manos castas de los monjes me pasaron la esponja por los hombros. Yo estaba sentado en la cálida bañera de metal, con la espalda apoyada en ella.

—... Di Raniari, siempre leal —dijo uno de ellos—. Tu hermano iba a venir a estudiar con nosotros, tu dulce hermano Matteo...

Lancé un grito desgarrador. Una mano delicada me tapó la boca.

—Sforza se encargará de darles su justo castigo. Limpiará esa región.

Rompí a llorar de forma desconsolada. Nadie podía comprenderme. No me escuchaban.

Los monjes me levantaron los pies. Me vistieron con una cómoda y larga túnica de lino. Se me ocurrió que me preparaban para la ejecución, pero la hora de ese peligro había pasado.

—¡No estoy loco! —exclamé muy claro.

—Por supuesto, sólo afectado por el dolor.

—¡Entonces me comprendéis!

—Estás cansado.

—El lecho es mullido, traído especialmente para ti, pero ahora guarda silencio, no sigas desvariando.

—Fueron los demonios —musité—. No eran soldados.

—Lo sé, hijo, lo sé. La guerra es terrible. La guerra es obra del diablo.

«No, no fue la guerra. ¿Por qué os negáis a escucharme?»

Calla, es Ramiel quien te habla al oído; ¿no te dije que te durmieras? ¡Debes escucharnos! Hemos oído tus pensamientos además de tus palabras.

Me tumbé en la cama, boca abajo. Los monjes me cepillaron y secaron el cabello. Tenía el cabello largo y alborotado, propio de un caballero rural. Pero era un gran alivio que me bañaran, y sentirme limpio como correspondía a alguien de mi condición.

—¿Esa luz proviene de las velas? —pregunté—. ¿El sol se ha ido?

—Sí —contestó el monje que estaba junto a mí—. Te has dormido.

—¿Puedes traerme más velas?

—Sí, enseguida.

Permanecí tendido en la oscuridad, pestañeando, al tiempo que intentaba formular las palabras del Avemaría.

En la puerta aparecieron varias luces, un grupo de seis o siete, cada una de las cuales constituía una llamita perfectamente formada. Cuando el monje avanzó hacia mí comenzaron a oscilar. Vi al monje claramente cuando se arrodilló para depositar los candelabros junto a mi lecho.

Era alto y delgado, como un árbol cubierto con un largo y holgado hábito. Observé que tenía las manos muy limpias.

—Te hemos instalado en una celda especial. Cosme ha enviado a unos hombres para que entierren a tu familia.

—Gracias a Dios —repuse.

—Sí.

¡Por fortuna yo había recuperado el habla!

—Todavía están conversando abajo, y es tarde —dijo el monje—. Cosme está preocupado. Pasará la noche aquí. Toda la ciudad está repleta de agitadores venecianos que arengan al populacho contra Cosme.

—Silencio —ordenó otro monje que apareció de improviso. Se inclino y me levantó la cabeza para colocar debajo de ella otra gruesa almohada.

Aquello era la gloria. Pensé en los desdichados mortales que seguían encerrados en el corral.

—¡Qué horror! Es de noche, pronto dará comienzo la comunión.

—¿Qué dices, hijo? ¿De qué comunión hablas?

De nuevo vislumbré unas figuras en movimiento, que se deslizaban entre las sombras. No tardaron en desaparecer.

Sentí deseos de vomitar. Pedí que me acercaran la jofaina. Los monjes me apartaron el pelo. ¿Vieron a la luz de las velas la sangre que arrojé? ¿Aquella pócima sanguinolenta? Olía que apestaba.

—¿Cómo es posible que uno sobreviva a ese veneno? —murmuró un monje a otro en latín—. ¿Crees que deberíamos purgarlo?

—Sólo conseguirás atemorizarlo. Baja la voz. El chico no tiene fiebre.

—Estáis muy equivocados si creéis que me habéis hecho perder la razón —declaré a voz en grito a Florian, Godric y los demás de su calaña.

Los monjes me miraron entre preocupados y atónitos.

Me eché a reír.

—Hablaba con unos que tratan de hacerme daño —dije, articulando con precisión cada palabra.

El monje delgado de manos insólitamente limpias se arrodilló junto a mí y me acarició la frente.

—¿Y tu hermosa hermana, la que iba a casarse, también ha...?

—¡Bartola! ¿Iba a casarse? No lo sabía. Su prometido puede quedarse con su cabeza en lugar de su virginidad. —Lloré con amargura—. Los gusanos han iniciado la tarea en la oscuridad. Y los demonios bailan sobre la colina, mientras los aldeanos permanecen cruzados de brazos.

—¿Qué aldeanos?

—Estás desvariando de nuevo —dijo un monje, más allá del resplandor de las velas. Lo vi con plena nitidez, aunque estaba alejado de la luz: era un individuo de hombros encorvados, con la nariz ganchuda y los párpados gruesos y caídos, que le daban una expresión sombría—. Pobre muchacho, deja de desvariar.

Cuando me disponía a protestar vi de pronto un ala gigantesca, cuyas delicadas plumas estaban teñidas de oro, descender sobre mí y envolverme. Las suaves plumas me hicieron cosquillas. Ramiel dijo:

¿Qué tenemos que hacer para que te calles? Filippo nos necesita ahora. ¿Quieres darnos un poco de sosiego en bien de Filippo, a quien nos envió Dios para que custodiemos? No me respondas. Obedéceme.

El ala eliminó todo cuanto yo veía, cualquier tristeza.

Una oscuridad pálida y umbría. Uniforme y completa. A mis espaldas ardían las velas, que se encontraban sobre la mesilla.

Al despertar me incorporé sobre los codos. Tenía la cabeza despejada. La celda estaba inundada por una iluminación grata y uniforme, que oscilaba levemente. A través de la elevada ventana penetraba la luz de la luna. Su resplandor incidía sobre el fresco del muro, el fresco que sin duda pintara Fra Giovanni.

De nuevo veía con asombrosa claridad. ¿Se debía acaso a mi sangre demoníaca?

Se me ocurrió un extraño pensamiento. Penetró en mi conciencia con la claridad de una campana dorada. ¡Yo no tenía unos ángeles guardianes! Mis ángeles me habían abandonado; se habían ido, porque mi alma estaba condenada.

No tenía unos ángeles custodios. Veía a los de Filippo gracias al poder que me habían conferido los demonios, y a otro motivo. Los ángeles de Filippo discutían constantemente entre ellos. Por eso los había visto. Entonces recordé unas palabras.

Procedían de santo Tomás de Aquino, ¿o acaso de san Agustín? Yo aprendí latín con la lectura de sus obras, y sus digresiones me encantaban. Los demonios están llenos de pasión. Pero los ángeles, no.

En cambio esos dos ángeles poseían un temperamento muy vivo. Por eso habían logrado atravesar el velo.

Retiré las mantas y apoyé los pies desnudos sobre el suelo de piedra. Tenía aún el tacto fresco, pero resultaba agradable porque la habitación había recibido el sol durante todo el día y aún estaba caldeada.

Ninguna corriente de aire barría el suelo pulido e inmaculado.

Me acerqué a la pintura del muro. Ya no estaba mareado ni tenía náuseas. Me sentía perfectamente.

Qué alma tan inocente y sencilla debió de ser Fra Giovanni. Todas sus figuras carecían de malicia. Contemplé la figura de Cristo sentado ante una montaña, un halo redondo en oro que estaba decorado con unos brazos rojos y la parte superior de la cruz. Junto a él había unos ángeles que le atendían solícitamente. Uno sostenía pan, y el otro, cuya figura aparecía cortada por la puerta practicada en el muro, ese otro ángel cuyas puntas de las alas apenas eran visibles, portaba vino y carne.

En lo alto, sobre la montaña, también se veía a Jesucristo. La pintura mostraba diversos incidentes, representados de forma consecutiva, y arriba vi a Jesucristo de pie ataviado con su túnica rosa habitual, suave y llena de arrugas; sin embargo aquí presentaba un aspecto tempestuoso, tan agitado como Fra Giovanni fue capaz de plasmarlo, con la mano alzada como si estuviera furibundo.

¡La figura que huía de él era el diablo! Se trataba de una criatura horrenda con unas alas dotadas de membranas, la cual me pareció haber visto antes, y unas grotescas patas palmeadas provistas de espolones. Con el gesto agrio, cubierto con una inmunda túnica gris, huía de Jesucristo, quien permanecía firme en el desierto, sin dejarse tentar; después de esa confrontación habían aparecido los solícitos ángeles, y Cristo había ocupado su lugar, sentado con las manos juntas.

Contemplé horrorizado la imagen del demonio. Pero al mismo tiempo experimenté una profunda sensación de alivio que me provocó un cosquilleo en la raíz del pelo y en las plantas de los pies, que tenía apoyados en el suelo pulido. Había burlado a los demonios. Había rechazado su don de inmortalidad. Lo había hecho. Incluso me mostré dispuesto a ser crucificado.

Sentí unas violentas arcadas, un dolor como si me hubieran propinado una patada en el estómago. Me volví. La jofaina estaba en el suelo, limpia y reluciente. Me arrodillé junto a ella y vomité otra porción de aquel asqueroso mejunje. ¿Dónde estaba el agua?

Miré alrededor. Vi la jarra y la copa. Ésta estaba llena, y al llevármela a los labios derramé un poco de líquido, pero éste tenía un sabor rancio y espantoso. La arrojé al suelo.

—¡Monstruos, me habéis envenenado para las cosas naturales! ¡Pero no venceréis!

Mis manos temblaban. Cogí la copa, la llené de nuevo e intenté beber un sorbo. Pero el líquido tenía un sabor raro. ¿Con qué podría compararlo? No sabía a orina, sino a un agua llena de minerales y de metal que te deja un sabor a yeso y hace que te atragantes. ¡Era horrible!

Dejé la copa a un lado. De acuerdo. Había llegado el momento de estudiar, de tomar las velas, y procedí a hacerlo.

Abandoné la celda. El pasillo estaba desierto y relucía bajo la pálida luz que provenía de las diminutas ventanas situadas sobre las celdas de techo bajo.

Doblé hacia la derecha y me dirigí a la puerta de la biblioteca. No estaba cerrada con llave.

Entré con el candelabro en la mano. De nuevo, la serenidad que emanaba del diseño de Michelozzo me infundió una sensación reconfortante, me devolvió la fe en las cosas, la confianza. Por el centro de la habitación se extendían dos hileras de arcos y columnas jónicas que formaban un amplio pasillo hasta la puerta situada en el extremo opuesto, a ambos lados del mismo estaban dispuestas las mesas de estudio, y adosadas a los muros había multitud de estanterías que contenían códices y pergaminos.

Caminé descalzo a través del suelo de piedras colocadas en forma de espina de pescado mientras alzaba las velas para que la luz inundara el techo abovedado, feliz de hallarme a solas en ese lugar.

Las ventanas situadas a ambos lados permitían que se filtraran unos rayos de pálida luz a través del sinfín de libros que ocupaban las estanterías. ¡Qué divino, qué sensación de placidez infundía el elevado techo! Con qué maestría había transformado Michelozzo una basílica en biblioteca.

¿Cómo iba a adivinar yo de niño que su estilo sería imitado en toda mi amada Italia? Por fortuna, existían multitud de maravillas que perdurarían eternamente para deleite de los vivos.

«¿Y yo? ¿Qué soy yo? ¿Estoy vivo? ¿O camino de la mano de la muerte, enamorado del tiempo?»

Me detuve con mis velas y dejé que mis ojos se regodearan con el fantástico resplandor de la luna. Ansiaba permanecer en aquel lugar para siempre, soñando, junto a las cosas de la mente y las cosas del alma, relegando a los confines de la memoria la imagen de la desdichada población encadenada sobre la montaña maldita, y el cercano castillo, que sin duda en esos momentos emitía su siniestra y horrenda luz.

¿Era capaz de discernir el orden de esta abundancia de libros?

El catalogador de la biblioteca, el monje que había trabajado ahí, un erudito, era ahora Nicolás V, el papa de toda la cristiandad.

Avancé junto a las estanterías situadas a mi derecha, sosteniendo las velas en alto. ¿Estarían dispuestos en orden alfabético? Pensé en santo Tomás de Aquino, pues lo conocía más, pero hallé las obras de san Agustín. Siempre me había fascinado san Agustín; su estilo colorista y sus excentricidades me gustaban tanto como el dramatismo que confería a sus escritos.

—¡Te leeré a ti, pues dedicaste muchas páginas a los demonios! —exclamé.

¡La ciudad de Dios! Vi numerosos ejemplares de esta obra maestra. Allí se conservaban varios códices de ella, por no hablar de otra de las creaciones de este gran santo, sus *Confesiones*, que me habían impresionado tanto como un drama romano, y muchas otras más. Algunos de esos libros eran muy antiguos, confeccionados con un tosco pergamino; otros estaban exquisitamente encuadernados y ofrecían un aspecto sencillo y muy moderno.

En rigor, debía elegir el más grueso de aquellos volúmenes, aunque contuviera errores, y Dios sabe que los monjes se afanaban en evitarlos. Yo sabía qué volumen deseaba consultar. Elegí el libro que versaba sobre demonios, pues me había parecido fascinante y divertido, aunque estuviera lleno de paparruchas. ¡Cuán estúpido había sido!

Tomé el pesado y grueso tomo de la estantería, el número nueve de la obra, me lo puse bajo el brazo, me acerqué a la primera mesa, deposité el candelabro ante mí de forma que me iluminara sin proyectar sombras debajo de mis dedos y abrí el libro.

—¡Todo está aquí! —murmuré—. Explícame, san Agustín, qué son los demonios para que yo pueda convencer a Ramiel y a Setheus de que deben ayudarme, o al menos proporcionarme el medio de convencer a estos modernos florentinos, a quienes en estos momentos sólo les preocupa pelear con sus mercenarios contra la Serena República de Venecia en el norte. Ayúdame, santo. Te lo ruego.

Ah, el capítulo diez del noveno volumen, el cual yo conocía...

Agustín citaba a Plotino, o más bien explicaba su filosofía:

> ... que el hecho de que la mortalidad corporal del hombre se debe a la misericordia de Dios, quien no desea que padezcamos eternamente las desgracias de esta vida. La maldad de los demonios no fue juzgada digna de esta misericordia, y sumidos en la miseria de su condición, con un alma sometida a las pasiones, no les ha sido concedido un cuerpo mortal, que el hombre ha recibido, sino un cuerpo eterno.

—¡Exacto! —exclamé—. Eso fue lo que Florian me ofreció, jactándose de que ellos no envejecían ni se deterioraban ni padecían enfermedades: yo podía vivir allí con ellos para siempre. ¡Dios me libre del maligno! Bien, aquí está la prueba, ante mis propios ojos, y la enseñaré a los monjes.

Seguí leyendo, saltándome unos párrafos en busca de los datos importantes que reforzarían mi argumento. Al llegar al capítulo undécimo leí:

Apuleyo afirma asimismo que las almas de los hombres son demonios. Al abandonar los cuerpos humanos se convierten en lares si han demostrado ser buenos; si son malvados, se convierten en lémures o larvas.

—Sí, lémures. Conozco esa palabra. Lémures o larvas. Ursula me dijo que había sido joven, joven como yo; todos habían sido humanos y ahora son lémures.

Según Apuleyo, las larvas son unos demonios malignos creados a partir de los hombres.

Me sentí eufórico. Necesitaba pergamino y plumas. Debía tomar nota de esos párrafos. Tenía que marcar lo que había descubierto y seguir adelante. El siguiente paso, obviamente, consistía en convencer a Ramiel y a Setheus de que se habían metido en el mayor...

De pronto mis pensamientos se interrumpieron.

Alguien había entrado en la biblioteca. Oí unas pisadas recias a mis espaldas, aunque un tanto sofocadas, y detrás de mí se formó una gigantesca sombra, como si todos los delgados y sutiles rayos de la luna que penetraban por la ventana hubieran sido interceptados.

Me volví lentamente y miré por encima del hombro.

—¿Por qué has elegido el izquierdo?

Ante mí se erguía una figura inmensa y alada, que me miraba de hito en hito. Su rostro aparecía luminoso bajo el oscilante resplandor de las velas; tenía las cejas un poco arqueadas pero rectas, desprovistas de una suave curva que aligerara su aire severo. Poseía el alborotado cabello dorado con que lo dotara el pincel de Fra Filippo, rizado y cubierto por un imponente casco rojo de guerra, y unas alas cubiertas de oro por completo.

Llevaba una armadura, con el peto decorado y los hombros cubiertos con unas grandes hebillas, y en torno a la cintura lucía una faja de seda azul. Su espada estaba envainada, y con un brazo sostenía relajadamente el escudo, pintado con una cruz roja.

Jamás le había visto de esa guisa.

—¡Te necesito! —declaré.

Me levanté rápidamente, derribando la banqueta hacia atrás. Extendí el brazo para impedir que ésta cayera al suelo. Luego me volví hacia él.

—De modo que me necesitas, ¿eh? —exclamó con sofocada furia—. ¡Vaya, hombre! Has pretendido impedir que Ramiel y Setheus cumplieran con su deber de custodiar a Fra Filippo Lippi. ¿Así que me necesitas? ¿Sabes quién soy?

Era una voz hermosísima, melodiosa, sedosa, violenta y penetrante aunque grave.

—Llevas una espada —señalé.

—¿Y para qué crees que la llevo?

—¡Para matarlos a todos ellos! —repuse—. Acompáñame a su castillo cuando amanezca. ¿Sabes a lo que me refiero?

La figura asintió.

—Conozco tus sueños, tus desvaríos, y sé lo que Ramiel y Setheus han conseguido deducir de tu febril mente. Por supuesto que lo sé. Dices que me necesitas, y entretanto Fra Filippo Lippi yace en cama con una puta que le lame sus doloridas partes, ¡en especial una!

—¡Qué vocabulario en boca de un ángel!

—No te burles de mí o te doy un bofetón —espetó.

Sus alas se movían en sentido ascendente y descendente al ritmo de los suspiros de resignación o los bufidos de furia que soltaba ante mi comportamiento.

—¡Adelante! —repliqué. No me cansaba de contemplar su resplandeciente belleza, el manto de seda rojo que llevaba abrochado debajo del pedacito de túnica que asomaba sobre la armadura, la solemne suavidad de sus mejillas—. Acompáñame a las montañas y mátalos —imploré.

—¿Por qué no lo haces tú solito?

—¿Crees que lo lograría? —pregunté.

Su rostro se serenó. El labio inferior sobresalía ligeramente, confiriéndole un aire meditabundo. Tenía la mandíbula y el cuello poderosos, más desarrollados que Ramiel o Setheus, quienes parecían meros niños al lado de aquel espléndido hermano mayor.

—No serás el ángel caído —dije.

—¡Insolente! —murmuró, despertando de su letargo. Frunció el ceño en un gesto feroz.

—Eres Mastema, estoy seguro. Ellos pronunciaron tu nombre. Mastema.

El ángel asintió.

—No me sorprende que a esos dos se les escapara mi nombre —comentó en tono despectivo.

—¿Qué significa eso, poderoso ángel? ¿Que puedo invocarte? —Me volví y tomé el libro de san Agustín.

—¡Deja ese libro! —me ordenó en tono perentorio pero sólido—. Tienes a un ángel ante ti, muchacho. ¡Mírame cuanto te hablo!

—Te expresas como Florian, el demonio que habita en el lejano castillo. Haces gala del mismo aplomo, la misma compostura. ¿Qué quieres de mí, ángel? ¿Por qué has venido?

El ángel guardó silencio, como si fuera incapaz de articular una respuesta. Luego me preguntó con dulzura:

—¿Tú qué crees?

—Porque he rezado.

—Exacto —respondió con frialdad—. ¡Has acertado! Y porque ellos vinieron debido a ti.

Le miré pasmado. Sentí que mis ojos se inundaban de luz, pero ésta no los hería. Percibí un tenue y delicado murmullo.

De pronto aparecieron Ramiel y Setheus, uno a cada lado de Mastema, observándome con una expresión más dulce y afable.

Mastema enarcó las cejas de nuevo mientras me contemplaba fijamente.

—Fra Filippo Lippi está borracho —dijo—. Cuando despierte, volverá a emborracharse hasta que el dolor desaparezca.

—¡Sólo a unos locos se les ocurriría someter a un gran pintor al potro de tormento! —exclamé—. Pero ya sabes lo que opino de este asunto.

—Y lo que opinan todas las mujeres de Florencia —replicó Mastema—. Y los ínclitos personajes que compran sus cuadros, si no estuvieran tan obsesionados con la guerra.

—Sí —terció Ramiel, mirando a Mastema con expresión de súplica. Tenían la misma estatura, pero Mastema no se volvió, y Ramiel se adelantó un poco para captar su atención—. Si no estuvieran todos tan preocupados por la guerra.

—La guerra preside el mundo —respondió Mastema—. Te lo he preguntado antes, Vittorio di Raniari, ¿sabes quién soy?

Me quedé estupefacto, no debido a la pregunta, sino ante el hecho de que estuviese contemplándolos a los tres juntos; yo era el único mortal capaz de verlos mientras el resto del mundo mortal que nos rodeaba parecía estar dormido.

¿A qué se debía el que no apareciese ningún monje por el pasillo para averiguar quién andaba cuchicheando en la biblioteca? ¿Por qué no se presentaba ningún centinela nocturno para averiguar por qué flotaban unas velas por el pasillo? ¿Por qué el muchacho murmuraba y desvariaba?

¿Acaso estaba yo loco?

De golpe comprendí con meridiana claridad que si respondía a Mastema correctamente, ello confirmaría que no estaba loco.

Esa idea le hizo soltar una breve carcajada, ni áspera ni dulce.

Setheus me miró con evidente simpatía; Ramiel guardó silencio, y miró de nuevo a Mastema.

—Tú eres el ángel —dije— a quien el Señor dio permiso para esgrimir esa espada. —Mastema no respondió y yo continué—: Eres el ángel que mató a los recién nacidos en Egipto —añadí sin oír una réplica—. Tú eres el ángel vengador.

Mastema abrió y cerró los ojos en señal de asentimiento.

Setheus se acercó a él y le susurró al oído:

—Ayúdale, Mastema, ayudémosle entre todos. En estos momentos Filippo no está en condiciones de atender nuestros consejos.

—¿Por qué? —inquirió Mastema al ángel que estaba a su lado. Luego me miró—: Dios no me ha autorizado a castigar a esos demonios tuyos. En ningún momento me ha dicho Dios: «Mastema, extermina a los vampiros, los lémures, las larvas, los bebedores de sangre.» Jamás me ha ordenado: «Empuña tu poderosa espada para limpiar el mundo de esos seres.»

—Te lo imploro —dije—. Yo, un joven mortal, te lo imploro. Mátalos, elimina ese nido de víboras con tu espada.

—No puedo.

—¡Sí que puedes, Mastema! —declaró Setheus.

—Si él dice que no puede —terció Ramiel—, ¡será que no puede! ¿Por qué no le haces caso?

—Porque sé que podemos convencerle —contestó Setheus sin vacilar—. Al igual que también podemos convencer a Dios. —Se colocó delante de Mastema y añadió—: Coge el libro, Vittorio. —Avanzó un paso y en el acto las grandes hojas de pergamino, no obstante lo que pesaban, comenzaron a agitarse. Setheus lo depositó en mi mano y señaló el lugar con un pálido dedo, sin apenas rozar la gruesa escritura en tinta negra.

Leí en voz alta:

Así pues Dios, que creó las maravillas visibles del Cielo y la Tierra, no desdeña obrar unos milagros visibles en el Cielo y la Tierra, mediante los cuales induce al alma, que hasta entonces sólo se ocupaba de los objetos visibles, a venerarle.

Setheus movió el dedo, y yo seguí su movimiento con los ojos. Leí acerca de Dios:

> Para Él no existe diferencia entre vernos dispuestos a rezar y atender oraciones, pues incluso cuando sus ángeles escuchan nuestras plegarias, es Él quien nos escucha a través de ellos.

Me detuve, con los ojos arrasados en lágrimas. Setheus me quitó el libro de las manos para protegerlo de aquéllas.

Un ruido penetró en nuestro pequeño círculo. Habían acudido unos monjes. Les oí murmurar en el pasillo, tras lo cual se abrió la puerta de la biblioteca y entraron.

Solté una exclamación de sorpresa, y cuando alcé la vista vi a dos monjes que no conocía ni recordaba haber visto nunca mirándome fijamente.

—¿Qué te ocurre, muchacho? ¿Qué haces aquí solo, llorando? —preguntó el primero.

—Vamos, te llevaremos de nuevo a la cama y te traeremos algo de comer.

—No me apetece comer nada —contesté.

—No le apetece comer nada —informó el primer monje al otro—. Le produce náuseas. Pero debe descansar. —El monje me miró.

Yo me volví. Los tres radiantes ángeles observaban en silencio a los monjes, que no podían verlos ni tenían remota idea de que allí hubiera unos ángeles.

—Dios bendito que estás en el cielo —dije—, ¿acaso me he vuelto loco? ¿Han vencido los demonios, me han contaminado con su sangre y sus pociones hasta el extremo de hacerme delirar, o puedo acudir como María a la tumba para ver allí a un ángel?

—Ve a acostarte —dijeron los monjes.

—No —respondió Mastema, dirigiéndose con voz queda al monje que ni le veía ni le oía—. Deja que se quede. Permite que lea para sosegar su mente. Es un joven instruido.

—No, no —terció el otro monje meneando la cabeza. Miró al otro—. Dejemos que se quede aquí. Es un joven instruido. Puede quedarse a leer aquí tranquilamente. Cosme dijo que le complaciéramos en todo.

—Dejad que se quede aquí —dijo Setheus en voz baja.

—Calla —le reprendió Ramiel—. Eso debe decidirlo Mastema.

Me sentí tan lleno de dolor y dicha que fui incapaz de responder. Me cubrí el rostro con las manos y pensé en mi pobre Ursula, obligada a permanecer para siempre en su corte de demonios, y en lo mucho que había llorado por mí.

—¿Cómo es posible? —murmuré.

—Porque antiguamente fue humana y posee un corazón humano —respondió Mastema en el silencio que reinaba en la habitación.

Los dos monjes se apresuraron a abandonar la sala. Durante unos instantes el grupo de ángeles adquirió un aspecto diáfano como la luz. Vi a través de ellos las figuras de los dos monjes retirarse y cerrar la puerta de la biblioteca tras ellos.

Mastema fijó en mí su poderosa mirada.

—Uno podría adivinar lo que piensas con sólo mirarte la cara —comenté.

—Eso ocurre siempre con todos los ángeles —respondió.

—Te lo suplico —dije—. Ven conmigo. Ayúdame. Guíame. Haz lo que hiciste con esos monjes. Eso sí podrás hacerlo, ¿no?

Mastema asintió con un gesto de cabeza.

—Pero entiende que es todo cuanto podemos hacer —dijo Setheus.

—Deja que lo diga Mastema —intervino Ramiel.

—¡Regresa al cielo! —le increpó Setheus.

—Callaos, por favor —pidió Mastema—. Vittorio, no puedo matarlos. No estoy autorizado a hacerlo. Eso debes hacerlo tú, con tu propia espada.

—Pero ¿vendrás conmigo?

—Te llevaré hasta allí —contestó—. Al amanecer, cuando estén dormidos bajo sus piedras. Sin embargo, debes matarlos tú, exponerlos a la luz y liberar a los desdichados que mantienen presos en el castillo. Y debes enfrentarte a las gentes de la población, o dejar que los tullidos huyan.

—Comprendo.

—Podemos remover las piedras de los lugares donde duermen, ¿no? —preguntó Setheus al tiempo que alzaba una mano para silenciar a Ramiel antes de que éste protestara—. Tendremos que hacerlo.

—Sí —convino Mastema—. De igual forma que nos es posible impedir que caiga una viga sobre la cabeza de Vittorio. Eso podemos hacerlo. Pero en cambio no podemos matarlos. En cuanto a ti, Vittorio, no podemos obligarte a hacerlo, en caso de que te falte valor o desfallezcas.

—¿No crees que el milagro que supone el que os haya visto me sostendrá?

—¿Lo crees tú? —replicó Mastema.

—Te refieres a ella, ¿no es así?

—¿Eso crees? —preguntó.

—Haré lo que tenga que hacer, pero quiero que me digas...

—¿Qué es lo que quieres saber? —preguntó Mastema.

—¿El alma de Ursula irá al infierno?

—Eso no puedo decírtelo —contestó Mastema.

—Debes hacerlo.

—No, sólo debo hacer aquello para lo cual me creó el Señor, y cumplo con mi deber, pero resolver unos misterios sobre los que Agustín caviló durante toda su vida, no, no tengo por qué hacerlo y no lo haré.

A continuación Mastema tomó el libro.

De nuevo movió las páginas con su sola voluntad. Sentí la brisa que las agitaba.

Mastema leyó:

> Conviene leer las inspiradas disertaciones de las Sagradas Escrituras.

—No te molestes en leerme esas palabras, no me sirven de ayuda —repliqué—. ¿Puedes salvarla? ¿Puedes salvar su alma? ¿Posee Ursula todavía un alma? ¿Es tan poderosa como tú? ¿Corres tú peligro de caer en la tentación? ¿Puede el diablo regresar junto a Dios?

Mastema dejó el libro con un gesto rápido y airoso que apenas logré captar.

—¿Estás dispuesto a librar esa batalla? —preguntó.

—Yacerán indefensos a la luz del día —me dijo Setheus—. También ella. Debes retirar las piedras que les cubren y hacer lo que debas hacer.

Mastema movió la cabeza en sentido negativo. Luego dio media vuelta e indicó a los otros que se apartaran.

—¡No, por favor, te lo ruego! —exclamó Ramiel—. Hazlo por él. Te lo suplico. A Filippo ya no podemos ayudarle.

—Eso no lo sabes —replicó Mastema.

—¿No podrían ayudarle mis ángeles? —pregunté—. ¿No tengo ningún ángel guardián que pudierais enviarle?

Apenas hube pronunciado esas palabras, advertí que otras dos entidades habían cobrado forma junto a mí, una a cada lado de mi persona.

Cuando miré de izquierda a derecha las vi, aunque eran muy pálidas y estaban bastante alejadas: no poseían la llama de los ángeles custodios de Filippo, sólo una presencia y una voluntad sosegada, cuasi invisible e innegable.

Observé durante largo rato a una de ellas y luego a la otra, pero por más que me devanara los sesos no hallé ningún término que se ajustara a su descripción. Tenían unos rostros inexpresivos, pacientes y serenos. Eran unos seres alados, altos, eso sí, pero apenas es posible añadir nada más, pues no logré dotarlos de color, esplendor ni individualidad, y ellos no lucían unas prendas ni hicieron ningún gesto que me cautivara.

—¿Qué ocurre? ¿Por qué no dicen nada? ¿Por qué me miran de esa manera? —pregunté.

—Te conocen —contestó Ramiel.

—Estás dominado por el afán de venganza y deseo —intervino Setheus—. Ellos lo saben; siempre han permanecido a tu lado. Han calibrado tu dolor y tu ira.

—¡Por todos los cielos! ¡Esos demonios asesinaron a mi familia! —protesté—. ¿Conocéis alguno de vosotros el futuro de mi alma?

—Por supuesto que no —respondió Mastema—. De lo contrario no estaríamos aquí. ¿Qué pintaríamos aquí si el futuro de tu alma estuviera decretado?

—¿No saben esos ángeles que preferí enfrentarme a la muerte que beber la sangre de esos demonios? De haber buscado venganza, la habría bebido para que me procurara tanto poder como el de mis enemigos y así destruirlos.

Mis ángeles se acercaron a mí.

—¿Dónde os encontrabais cuando estuve a punto a morir? —pregunté.

—No los atosigues. Nunca has creído realmente en ellos. —Fue Ramiel quien habló—. Nos amaste cuando viste nuestras imágenes, y cuando ingeriste la sangre de los demonios contemplaste lo que podías amar. Ése es el peligro. ¿Eres capaz de matar aquello a lo que amas?

—Los destruiré a todos —contesté—, de una forma u otra. Lo juro por mi alma.

Miré a mis pálidos e impávidos guardianes, quienes se abstenían de opinar, y luego observé a los otros, que refulgían en las sombras de la vasta biblioteca, en contraste con los colores oscuros de las estanterías y la multitud de volúmenes que éstas alojaban.

—Al amanecer —dijo Mastema—, los monjes dispondrán para ti unas ropas limpias, un traje de terciopelo rojo, tus armas recién pulidas, y tus botas, limpias y lustrosas. Todo estará preparado. No intentes comer nada. Es prematuro, pues la sangre de los demonios aún hace que se te revuelvan las tripas. Cuando estés dispuesto, te conduciremos al norte para que hagas lo que debas hacer a la luz del día.

11

... Y esta luz resplandece en las tinieblas,
pero las tinieblas no la recibieron

EVANGELIO SEGÚN SAN JUAN 1,5

Los monasterios se despiertan temprano, suponiendo que duerman alguna vez.

Abrí los ojos de golpe, y vi que la luz matutina cubría el fresco como si un velo de oscuridad se alzara sobre él; entonces comprendí que había dormido profundamente.

Unos monjes trajinaban en mi celda. Dispusieron sobre el lecho una túnica de terciopelo rojo, la ropa que había descrito Mastema. Mi atuendo consistía en unas finas medias de lana roja, una camisa de seda dorada, otra de seda blanca para ponerme encima de la primera, y un grueso y flamante cinturón con que ceñirme la túnica. Habían pulido mis armas, tal como me habían prometido: mi recia espada con la empuñadura engarzada con gemas resplandecía como si mi padre se hubiera entretenido en lustrarla durante una tranquila velada junto a la lumbre. Mis puñales estaban preparados.

Me levanté de la cama y me arrodillé para rezar.

—Dios mío, dame fuerzas para enviar en tu nombre a la muerte a quienes se alimentan de la vida —murmuré en latín.

Uno de los monjes me tocó en el hombro y sonrió. ¿No había concluido aún el Gran Silencio? Yo no tenía ni la más remota idea. El monje señaló una mesa sobre la que habían dispuesto para mí un pequeño refrigerio: pan y leche. La superficie de la leche estaba cubierta por una capa de espuma.

Asentí con la cabeza y sonreí. El monje y sus compañeros se inclinaron brevemente y salieron.

Me volví una y otra vez.

—Sé que estáis aquí, lo presiento —dije, pero no le di más importancia.

Si no se presentaban, significaría que yo había recobrado el juicio, aunque eso era tan improbable como que mi padre estuviera vivo.

Sobre la mesa, no lejos de la comida, sujetos por los candelabros que servían de pisapapeles, había varios documentos recién redactados y firmados con una florida rúbrica.

Los leí apresuradamente.

Eran unos recibos por mi dinero y mis joyas, los objetos que llevara conmigo en las alforjas. Todos los documentos ostentaban el sello de los Médicis.

También había un talego con dinero, que debía sujetarme al cinto. Y todos mis anillos, limpios y pulidos, de forma que los cabujones de rubíes exhibían un brillo extraordinario y las esmeraldas una profundidad sin mácula. El oro refulgía como no lo hiciera desde meses atrás, debido a mi dejadez.

Me cepillé el cabello, lo cual era un engorro debido a su espesor y longitud, pero no tenía tiempo de pedir a un barbero que me lo cortara por encima de los hombros. Al menos era lo bastante largo, pues me lo había dejado crecer durante los últimos meses, para peinármelo hacia atrás y evitar que cayera sobre la frente. Era un lujo tenerlo tan limpio.

Me vestí con rapidez. Las botas me apretaban un poco porque se habían secado junto al fuego después de que la lluvia las empapara. Pero me las calcé cómodamente sobre las finas medias. Me abroché las hebillas y me coloqué la espada.

La túnica de terciopelo rojo tenía el dobladillo bordado con hilos de oro y plata, y en la parte delantera lucía unas flores de lis plateadas, el símbolo más antiguo de Florencia. Después de ceñirme el cinturón, la túnica me llegaba a medio muslo, mostrando mis bien torneadas piernas.

El atuendo era demasiado fastuoso para la batalla, pero más que una batalla sería una matanza. Me puse la capa corta y airosa que los monjes habían dispuesto y abroché sus hebillas doradas, aunque iba a hacer calor en la ciudad. La capa estaba forrada con una fina piel de ardilla de color marrón oscuro.

Prescindí del sombrero. Me abroché el talego al cinto. Me coloqué los anillos uno tras otro hasta convertir mis manos en unas armas contundentes debido a su peso. Me enfundé los guantes forrados de suave piel. Vi un rosario de cuentas ambarinas oscuras en el que no había reparado antes. Tenía un crucifijo de oro, que besé, tras lo cual guardé el rosario en un bolsillo debajo de mi túnica.

Me percaté de que mantenía la vista fija en el suelo, y que estaba rodeado por unos pies descalzos. Poco a poco alcé la vista.

Contemplé a mis ángeles guardianes, ataviados con unas largas y vaporosas túnicas de color azul oscuro, que parecían estar confeccionadas con un material más ligero pero más opaco que la seda. Sus rostros eran blancos como el marfil y relucían ligeramente; sus ojos eran grandes y negros como los ópalos. Tenían el cabello oscuro, o mejor dicho de una tonalidad cambiante, como si estuviera formado por sombras.

Se hallaban frente a mí, con las cabezas tan juntas que se rozaban. Parecía que se comunicaran en silencio entre sí.

Su presencia me abrumó. Me produjo una sensación de tremenda intimidad el hecho de contemplarlos con tal nitidez y tan cerca de mí, y saber que eran los dos ángeles que habían permanecido siempre a mi lado, al menos eso me habían dado a entender. Eran algo más voluminosos que los seres humanos, al igual que los otros ángeles que yo había visto, y su imponente aspecto no estaba mitigado por una expresión dulce como mostraban los otros, sino que poseían unos semblantes más lisos y orondos aunque las bocas estuvieran exquisitamente dibujadas.

—¿Crees ahora en nosotros? —preguntó uno de ellos en voz baja.

—¿Podéis decirme vuestros nombres? —inquirí.

Los dos ángeles menearon la cabeza.

—¿Me amáis? —pregunté.

—¿Dónde está escrito que debemos amarte? —replicó el que aún no había dicho palabra; tenía una voz neutra y suave como un murmullo, pero clara, que podía haber sido la voz del otro ángel.

—¿Nos amas tú a nosotros? —inquirió el otro.

—¿Por qué me custodiáis? —pregunté.

—Porque nos han enviado a custodiarte, y permaneceremos junto a ti hasta que mueras.

—¿Sin amarme?

Ambos negaron de nuevo con la cabeza.

Poco a poco la luz iluminó la estancia. Me volví y alcé la vista hacia la ventana, creyendo que se trataba del sol. «El sol no puede herir mis ojos», pensé.

Sin embargo, no se trataba del sol, sino de Mastema, que se había erguido a mis espaldas como una nube de oro. Estaba flanqueado por mis defensores, los abogados de mi causa, mis aliados, Ramiel y Setheus.

La habitación estaba inundada de una luz trémula y vibraba sin emitir sonido alguno. Mis ángeles resplandecían, mostrando su fulgurante blancura y el azul intenso de sus túnicas.

Todos fijamos la vista en Mastema, que iba tocado con un yelmo.

En el aire flotaba un intenso murmullo musical, un sonido cantarín, como si una gran bandada de diminutos pájaros con voces doradas se hubiera despertado para remontar el vuelo desde las ramas de sus árboles rebosantes de luz.

Creo que cerré los ojos. Perdí el equilibrio, y noté que el aire se tornaba más frío y que un remolino de polvo me nublaba la vista.

Sacudí la cabeza para despejarme y miré a mi alrededor.

Nos encontrábamos dentro del castillo.

Estaba oscuro y húmedo. La luz se filtraba a través de las grietas del inmenso puente levadizo, que como es lógico estaba alzado y bien asegurado. A ambos lados del mismo se elevaban unas toscas murallas de piedra, tachonadas con unos voluminosos y oxidados ganchos y cadenas que no se habían utilizado en muchos años.

Me volví y penetré en un patio sombrío. Me quedé anonadado al percatarme de la altura de los muros que me rodeaban, los cuales se elevaban hasta alcanzar el vívido cubo formado por el cielo azul y despejado.

El patio, situado en la entrada, no era sino uno de los muchos que había en el castillo, pues ante nosotros se alzaba un gigantesco portal, lo suficientemente amplio para permitir el paso del carro de heno más gigantesco que cabe imaginar o de una máquina de guerra de nuevo cuño.

El suelo estaba sucio. Había ventanas por doquier, hilera tras hilera de ventanas de doble arco, todas cubiertas con barrotes.

—Te necesito, Mastema —dije. Me santigüé de nuevo. Luego saqué el rosario del bolsillo, besé el crucifijo y contemplé por unos instantes el diminuto y retorcido cuerpo de Jesucristo atormentado.

La gigantesca puerta que se alzaba ante mí se abrió de golpe. Oí el rechinar de los cerrojos de hierro al descorrerse y la puerta giró estrepitosamente sobre sus goznes, mostrando un distante patio interior rebosante de sol, mucho mayor que el anterior.

Los muros que traspusimos tenían unos diez metros de grosor. A ambos lados de nosotros se alzaban unas puertas de piedra con un pronunciado arco, que mostraban los primeros signos de cuidados que yo había observado desde que entráramos en el castillo.

—Esos seres no entran y salen como hacen otros —comenté.

Me apremié para alcanzar los rayos de sol que inundaban el patio. El aire de montaña era fresco y húmedo y el ambiente del pasadizo resultaba irrespirable.

Cuando llegué al patio y me enderecé, vi unas ventanas como las que recordaba haber visto, decoradas con vistosos estandartes y linternas que se encenderían de noche. Reparé en unos tapices que colgaban sobre los alféizares de las ventanas, como si la lluvia no pudiera dañarlos. Y al levantar la vista contemplé las toscas almenas y las hermosas albardillas de mármol blanco.

Pero éste tampoco era el inmenso patio que yo recordaba haber visto. Estos muros eran demasiado rústicos. Las piedras estaban sucias y no se habían pisado desde hacía años. Aquí y allá había unos charcos de agua. A través de las grietas brotaban unos malolientes hierbajos, pero también algunas flores silvestres, que contemplé con ternura y acaricié, maravillado de que creciesen en un lugar como ése.

Llegamos a otro portal, éste gigantesco, de madera, con unas bandas de hierro bajo una arcada de mármol de pronunciado arco, el cual se abrió y nos permitió salvar otro muro.

Penetramos en un jardín de incomparable belleza.

Mientras atravesábamos otros diez metros de oscuridad, vi ante mí los extensos cultivos de naranjos y oí el canto de las aves. Me pregunté si estarían atrapadas ahí abajo, prisioneras, o si podían alzar el vuelo y escapar.

Sí podían, pues el espacio era gigantesco. Por fin contemplé los hermosos bloques de mármol blanco que recordaba, los cuales cubrían la fachada hasta la cima, hasta lo alto del castillo.

Cuando entré en el jardín, al echar a andar por el primer y amplio sendero de mármol que discurría entre los macizos de violetas y rosas observé unos pájaros que iban y venían, revoloteando y describiendo unos amplios círculos sobre este inmenso espacio, y remontaban el vuelo hasta las torres que se recortaban con nitidez y majestuosidad contra el firmamento.

Me sentí abrumado por el intenso perfume de las flores. Las azucenas y los lirios se mezclaban por doquier, y las naranjas que pendían de los árboles estaban en sazón y presentaban un color rojizo. Los limones se hallaban todavía duros y algo verdes.

Los muros estaban cubiertos de enredaderas.

Los ángeles se agruparon a mi alrededor. Me percaté de que era yo quien les había conducido hasta allí, quien había tomado en todo momento la iniciativa, y seguía controlando la situación en aquel jardín, mientras reflexionaba con la cabeza gacha y ellos aguardaban en silencio.

—Trato de oír las voces de los prisioneros —dije—. Pero no oigo nada.

Alcé la vista y contemplé las ventanas y los balcones suntuosamente decorados, los dobles arcos, alguna que otra galería; todo ello presentaba un estilo de filigrana que le era propio, diferente al nuestro.

Observé que ondeaban las banderas, todas de color rojo sangre, manchadas con la muerte. Luego contemplé por primera vez mis propias ropas de un escarlata brillante.

—¿Como sangre recién derramada? —murmuré.

—Haz en primer lugar lo que debes hacer —me aconsejó Mastema—. Puedes aguardar a que la luz crepuscular te cubra al ir a liberar a los presos, pero debes ir en busca de tus presas ahora.

—¿Dónde se encuentran? ¡Dímelo!

—En deliberado sacrilegio y anticuado rigor, yacen debajo de las piedras de la iglesia.

De pronto se oyó un ruido estridente y agudo. El ángel había desenvainado la espada. La dirigió hacia mí tras volver la cabeza. El sol que se reflejaba en los muros revestidos de mármol arrancaba unos reflejos dorados a su yelmo rojo, que parecía estar en llamas.

—Por esa puerta, y la escalera a la que da acceso. La iglesia está situada en el tercer piso a nuestra izquierda.

Me dirigí sin más dilación hacia la puerta. Subí a toda prisa la escalera, doblando un recodo tras otro mientras percibía el sonido de mis botas sobre la piedra, sin pararme a comprobar si los ángeles me seguían; sólo sabía que estaban junto a mí, y sentía su presencia como si me echaran el aliento sobre el cuello, aunque no era así.

Al cabo de unos momentos enfilamos un corredor, amplio y abierto, que se hallaba a nuestra derecha y daba al patio inferior. Ante nosotros se extendía una interminable y mullida alfombra cubierta de flores persas que se hundían en un frondoso prado color azul noche. Los colores eran vívidos, intactos. Seguimos avanzando por ella hasta que desapareció tras un recodo. Al llegar al final del corredor vi el cielo perfectamente enmarcado y la abrupta cima de la verde montaña.

—¿Por qué te has detenido? —preguntó Mastema.

Los ángeles se materializaron en torno a mí, luciendo las vaporosas ropas que se amoldaron de nuevo a sus siluetas, y las alas que no paraban de agitarse.

—Ésta es la puerta que conduce a la iglesia, como ya sabes.

—Me he detenido para contemplar el cielo azul, Mastema —respondí—. Sólo eso.

—¿En qué piensas? —preguntó uno de mis ángeles guardianes en voz baja y clara. De pronto me agarró con fuerza y observé sus dedos del color del pergamino, ingrávidos, apoyados en mi hombro—. ¿Piensas en un prado que jamás existió y una joven que ha muerto?

—¿Por qué eres tan cruel? —le espeté.

Me aproximé a él hasta que mi frente rozó la suya. Me

maravilló sentir su tacto y ver sus ojos opalescentes con tanta nitidez.

—No soy cruel. Sólo soy el que te obliga a recordar una y otra vez.

Me volví hacia la puerta de doble hoja de la capilla. Tiré de las gigantescas aldabas hasta que la cerradura cedió y abrí la puerta de par en par, aunque no sé si lo hice para disponer de una vía de escape o para franquear la entrada a mi séquito de poderosos ayudantes.

Contemplé ante mí la vasta nave desierta, que sin duda la noche anterior debió de estar repleta de miembros de la estrafalaria y sanguinaria corte. En lo alto vi el coro del que había brotado aquella música etérea.

El sol traspasaba con violencia las demoníacas vidrieras.

Lancé una exclamación de estupor al contemplar los enormes espíritus alados que aparecían grabados en los estrechos y relucientes fragmentos de vidrio. Qué grueso era ese vidrio, de múltiples facetas, y qué siniestras las expresiones de esos monstruos con alas provistas de membranas que nos observaban burlonamente como si se dispusieran a cobrar vida bajo la refulgente luz diurna e interceptarnos el paso.

No tuve más remedio que apartar la mirada de esos seres, volver el rostro y escrutar el inmenso suelo de mármol. Divisé el gancho, semejante al que había en el suelo de la capilla de mi padre, el cual formaba un círculo plano sobre la piedra; un gancho de oro, bruñido y colocado de forma que no sobresaliera del suelo para impedir que nadie tropezara con él. No estaba cubierto.

Indicaba de forma precisa la posición de la única y alargada entrada a la cripta. Un estrecho rectángulo de mármol cortado en el centro del suelo de la capilla.

Avancé, percibiendo el eco de mis pisadas a través de la capilla desierta, y me dispuse a tirar del gancho.

¿Qué me detuvo? Vi el altar. En aquel preciso instante el sol incidió sobre la figura de Lucifer, el gigantesco ángel rojo que se hallaba suspendido sobre un montón de flores rojas, tan frescas como las de la noche en que me habían llevado a ese lugar.

Vi sus ojos febriles y amarillos, unas gemas engarzadas en el mármol rojo, y observé los colmillos de marfil que asomaban bajo su labio superior, contraído en un rictus de odio. Contemplé a los demonios provistos de colmillos que se encontraban adosados a los muros a derecha e izquierda de Lucifer; los ojos de éste, creados con piedras preciosas, traslucían una expresión de codicia y arrogancia bajo la intensa luz.

—La cripta —dijo Mastema.

Por más que tiré del gancho, no conseguí mover la losa de mármol. Ningún ser humano lo habría logrado. Se requería una yunta de caballos. Aferré el gancho con ambas manos y tiré de él con más fuerza, pero tampoco esta vez conseguí moverlo. Aquello era tan inútil como intentar mover los muros.

—¡Ayúdale! —imploró Ramiel—. Ayudémosle entre todos.

—No tiene mayor complicación, Mastema, es como abrir una puerta.

Mastema extendió una mano y me hizo suavemente a un lado, haciendo que me tambaleara por unos instantes antes de recobrar el equilibrio. La larga trampa de mármol se alzó muy despacio.

Su peso me asombró. Medía más de medio metro de grosor. Sólo el revestimiento era de mármol; el resto consistía en una piedra más oscura, pesada y densa. Ningún ser humano habría sido capaz de levantarla.

A través de la boca de la trampa surgió una lanza, como accionada por un resorte.

Me aparté de un salto, aunque no estaba lo bastante cerca para que me hiriera.

Mastema dejó caer la trampa, bajo cuyo peso los goznes se partieron. La luz inundaba el espacio que se abría a nuestros pies. Aparecieron más lanzas, dispuestas para ensartarme, resplandeciendo bajo el sol, ligeramente inclinadas, como situadas en sentido paralelo a la parte más alta de la escalera.

Mastema se acercó.

—Procura apartar las lanzas, Vittorio —dijo.

—No puede —contestó Ramiel—. Si tropieza, caerá en ese pozo erizado de lanzas. Apártalas tú, Mastema.

—Lo haré yo —intervino Setheus.

Tras desenfundar mi espada, asesté un golpe sobre la primera lanza y logré desprender la punta de metal, pero el mango de madera seguía intacto.

Bajé a la cripta, y en el acto experimenté una sensación de frío y humedad en torno a mis piernas. Golpeé con mi espada el mango de la lanza, partiéndolo en dos. Me detuve y al extender la mano izquierda palpé otras dos lanzas que me aguardaban en la penumbra. Alcé de nuevo la espada. Me dolía el brazo debido al peso de ésta.

Partí las dos lanzas con unos golpes rápidos y contundentes, con lo que las puntas de metal cayeron también de los mangos de madera.

Descendí por la escalera sujetándome con la mano derecha para no resbalar, pero de pronto lancé un grito y caí al vacío, pues la escalera se interrumpía allí de repente.

Tomé con la mano derecha el mango de la lanza que había partido, la cual sostenía en la izquierda. Mi espada cayó con gran estruendo al suelo.

—Es suficiente, Mastema —protestó Setheus—. Ningún ser humano lo conseguiría.

Quedé suspendido en el aire, sujetándome con ambas manos al astillado mango de la lanza mientras observaba a los ángeles que rodeaban la boca de la cripta. Si caía, moriría sin duda, pues había una distancia tremenda hasta el suelo. Y suponiendo que no me matara, jamás saldría vivo de allí.

Yo aguardé, sin decir palabra, aunque sentía un dolor insoportable en los brazos.

Entonces los ángeles descendieron en un remolino de seda y alas con el silencio que les caracterizaba en todo lo que hacían, y penetraron en la cripta, apresurándose a rodearme y transportarme en volandas hasta el suelo de la cámara.

De pronto me soltaron y me arrastré en la penumbra hasta hallar mi espada. Por fin la había recuperado.

Me levanté, jadeando, mientras la sostenía con firmeza, y contemplé el rectángulo de luz que había en lo alto. Cerré los ojos e incliné la cabeza, tras lo cual los abrí despacio para dejar que se habituaran a la densa y húmeda penumbra.

El castillo había dejado aquí que la montaña lo invadiera, pues la cámara, aunque espaciosa, parecía consistir sólo en tierra. Al menos eso fue lo que vi ante mí, en el tosco muro, y al volverme vi a mis presas, según las había nombrado Mastema.

Los vampiros, las larvas, yacían dormidos, pero no en unas tumbas, sino al descubierto, dispuestos en unas largas hileras, cada cuerpo exquisitamente vestido y cubierto con una sutil gasa tejida de oro. Yacían en torno a tres muros de la cripta. En el extremo opuesto vi la escalera rota suspendida en el vacío.

Pestañeé y entorné los ojos, dejando que se filtrara en ellos la suficiente cantidad de luz. Me acerqué a la primera figura que atiné a distinguir en la oscuridad; vi los elegantes chapines color burdeos y las medias escarlata, todo ello cubierto por el sutil velo, como si cada noche unos gusanos de seda tejieran ese manto para aquel ser, espeso y perfecto. Pero no era cosa de magia, sino el mejor tejido que eran capaces de confeccionar las criaturas de Dios, tejido en los telares de hombres y orlado de un dobladillo cosido por manos exquisitas.

Retiré el velo bruscamente.

Me aproximé a la criatura, que yacía con los brazos cruzados, y de pronto observé horrorizado que su rostro dormido se animaba. El monstruo abrió los ojos y extendió un brazo de forma violenta hacia mí.

Unas manos me libraron de las garras en el momento oportuno. Al volverme vi que Ramiel me sostenía; luego cerró los ojos e inclinó la frente sobre mi hombro.

—Ahora ya conoces sus trucos. Ándate con cautela. Fíjate, ahora ha doblado de nuevo el brazo. Cree que está a salvo. Ha cerrado los ojos.

—¿Qué debo hacer? ¡Lo mataré! —exclamé.

Sujetando el velo con la mano izquierda, alcé la espada con la derecha. Avancé hacia el monstruo que dormía, y cuando éste alzó la mano, la atrapé con el velo, aprisionándola en el tejido, y mi espada cayó sobre él como la del verdugo en el cadalso.

La cabeza rodó por el suelo. El monstruo emitió un sonido atroz, que provenía más bien del cuello que de la garganta. Su brazo se relajó. No podía luchar a la luz del día como lo habría hecho en la oscuridad; en la primera batalla contra esos seres, había decapitado a mi primer agresor. ¡Yo había vencido!

Recogí la cabeza y observé cómo la sangre se derramaba por la boca. Los ojos, si es que había llegado a abrirlos, estaban cerrados. Arrojé la cabeza al centro del suelo, donde incidía en ella la luz. De inmediato la luz comenzó a abrasar la carne.

—¡Mira, la cabeza se está quemando! —exclamé.

Pero no me detuve. Me acerqué a la siguiente criatura dormida. Arranqué el lienzo sedoso y transparente de una mujer que lucía unas largas trenzas y había sufrido una muerte cruel en la plenitud de su vida. Tras atrapar su brazo cuando comenzó a alzarlo, le corté a cabeza con furia, la agarré por una trenza y la arrojé para que aterrizara junto a la de su compañero.

La otra cabeza se había encogido y ennegrecido bajo la

luz que penetraba a raudales a través de la abertura que presidía la cámara desde lo alto.

—¿Lo has visto, Lucifer? —grité. El eco de mi voz pareció burlarse de mí—: ¿Has visto eso? ¿Lo has visto? ¿Lo has visto?

Me apresuré hacia el siguiente monstruo.

—¡Florian! —exclamé al retirar el velo.

Sin embargo, había cometido un trágico error.

Al oír su nombre, Florian abrió los ojos antes de que yo me abalanzara sobre él, y como títere suspendido de unos hilos intentó levantarse, lo que habría conseguido si no le hubiera clavado de inmediato mi espada en el pecho. Impasible, sin cambiar de expresión, el monstruo cayó hacia atrás. A continuación le asesté un golpe con la espada sobre el suave y aristocrático cuello. La sangre empapó su rubio cabello. El monstruo entornó los ojos vidriosos y murió en el acto.

Agarré por la larga cabellera a ese ser desprovisto de cuerpo, el cabecilla de la banda, ese demonio de lengua plateada, y arrojé su cabeza a la humeante y hedionda pila de cabezas.

Proseguí con mi labor, eliminando a los monstruos que tenía a mi izquierda; no sé por qué a mi izquierda, salvo que tomé esa dirección. Después de arrancarles el velo me arrojaba sobre ellos con increíble rapidez, atrapando su brazo con el velo cuando comenzaban a alzarlo; a veces procedía con tal ímpetu que no dejaba siquiera que lo movieran, y les cortaba la cabeza a tal velocidad que al final lo hacía de forma chapucera, destrozándoles la mandíbula e incluso los huesos del hombro. Pero acabé con ellos.

Sí, acabé con ellos.

Les arrancaba la cabeza y la arrojaba a la pila, de la que brotaba una humareda tan densa como la que despide una hoguera de hojas otoñales. También escupía algunas cenizas, finas y diminutas, pero muy escasas en comparación con el voluminoso montón de cabezas grasientas y ennegrecidas que alimentaban las llamas.

¿Sufrían? ¿Eran conscientes de lo que les había ocurrido? ¿Adónde volaban sus almas transportadas por unos pies invisibles en ese momento atroz en que la diabólica corte se disolvía, cuando yo saltaba y bramaba de gozo, reía y lloraba hasta que las lágrimas me nublaron la vista?

Maté a unos veinte monstruos, y la espada acabó tan manchada de sangre y porquería que tuve que limpiarla. Lo hice restregándola sobre sus cuerpos, mientras me dirigía hacia el otro extremo de la cripta, sobre sus jubones y corpiños, maravillado de la rapidez con que sus manos blancas se encogían y secaban sobre sus pechos, y de cómo manaba a borbotones de sus cuellos sajados a la luz del día una sangre negruzca.

—Estáis muertos, os he matado a todos, pero ¿adónde habéis ido, adónde ha volado vuestra alma viviente?

La luz comenzó a disminuir. Permanecí de pie, respirando con dificultad debido al esfuerzo. Al alzar la cabeza vi a Mastema.

—El sol está en lo alto —dijo con voz queda.

El ángel ofrecía un aspecto inmaculado, aunque estaba muy cerca de aquellos pútridos restos, de las cabezas calcinadas y hediondas.

El humo parecía brotar más bien de los ojos de éstas que de otro lugar, como si la gelatina se hubiera fundido por completo en el fuego.

—En la iglesia hay poca luz, aunque es mediodía. Apresúrate. Te quedan otros veinte en ese lado. Manos a la obra.

Los otros ángeles permanecían inmóviles, agrupados. Los magníficos Ramiel y Setheus vestían sus espléndidas túnicas y los otros dos lucían más simples y modestos, pero todos ellos me observaban con ansiedad. Setheus contempló la pila de cabezas abrasadas y luego me miró a mí.

—Vamos, mi pobre Vittorio —murmuró—. Apresúrate.

—¿Podrías hacerlo tú? —pregunté.

—No.

—No, ya sé que no estás autorizado —admití. El pecho me dolía debido al esfuerzo que me suponía hablar—. Me refiero a si serías capaz de hacerlo, si tendrías el valor necesario.

—No soy una criatura de carne y hueso, Vittorio —respondió Setheus con un gesto de impotencia—. Pero haría lo que Dios me ordenara hacer.

Avancé unos pasos y me volví para contemplar al grupo de ángeles en su radiante esplendor, y a su jefe, Mastema, con la armadura reluciente bajo la luz que declinaba y la brillante espada colgada del cinto.

Mastema no dijo nada.

Me volví y arranqué el velo que tenía más a mano. Era Ursula.

—No —musité al tiempo que retrocedía.

Dejé caer el velo al suelo. Estaba lo bastante alejado de ella para no despertarla; ni siquiera se movió. Los hermosos brazos estaban cruzados sobre el pecho en la airosa postura de muerte que habían ostentado los otros, pero de ella emanaba una extraordinaria dulzura, como si un suave veneno la hubiera matado en su inocente juventud sin alterar un solo pelo de su larga cabellera, la cual formaba un nido dorado en el que reposaba su cabeza, los hombros y el cuello de cisne.

Percibí mis jadeos. Bajé la espada, dejando que la punta rozara las piedras del suelo. Me pasé la lengua por los labios resecos. No me atreví a mirarlos, aunque sabía que se hallaban a pocos pasos, observándome. En el denso silencio, oí el crepitar y el chisporroteo de las cabezas abrasadas de aquellos seres malditos.

Metí la mano en el bolsillo y extraje el rosario de cuentas ambarinas. La mano me tembló vergonzosamente mientras lo sostenía. Luego alcé el rosario, dejando que el crucifijo oscilara en el aire, y lo arrojé sobre Ursula. Cayó justo encima de sus delicadas manos, sobre el blanco montículo de sus pechos semidesnudos. El crucifijo se hundió en el nido formado por su pálida piel, pero ella no movió un solo músculo.

La luz se adhería a sus pestañas como si fuera polvo.

Sin excusa ni explicación, me volví hacia el siguiente monstruo, le arranqué el velo y acabé con él o con ella, no me detuve a averiguarlo, con un estentóreo grito de triunfo. Agarré la cabeza cortada por la espesa melena castaña y la arrojé al montón de desechos que yacía a los pies de los ángeles.

El siguiente era Godric. ¡Dios, qué dulce sería vengarme de él!

Vi su calva antes de tocar el velo, y tras desgarrarlo de forma torpe esperé a que abriera los ojos, a que se incorporara a medias en la losa sobre la que yacía y me mirara.

—¿Me reconoces, monstruo? ¿Sabes quién soy? —bramé. Alcé la espada y le corté el cuello. La cabeza canosa rodó por el suelo, y me apresuré a ensartarla con mi espada por el ensangrentado muñón—. ¿Me conoces, monstruo?

Me dirigí hacia la pila de cabezas y deposité la de Godric sobre las otras, como si fuera un trofeo.

—¿Me conoces? —gemí de nuevo.

Luego reanudé mi tarea con renovada furia.

Otros dos, tres, luego cinco, luego siete y nueve, y otros seis más, hasta liquidar aquella demoníaca corte. Todos los bailarines, señores y damas estaban muertos.

Entonces me precipité al otro lado y acabé con los pobres sirvientes campesinos, cuyos modestos cuerpos no estaban cubiertos con velo y apenas tenían fuerzas para levantar sus blancos y esqueléticos brazos.

—¿Dónde yacen los cazadores?

—En el otro extremo de la cripta. Allí está muy oscuro. Ándate con cuidado.

—Ya los veo —anuncié.

Al enderezarme comprobé alarmado que los seis cazadores se hallaban dispuestos en una hilera, con las cabezas pegadas al muro como los otros, pero peligrosamente juntos, cosa que dificultaba mi labor.

De pronto solté una carcajada al reparar en lo sencillo que me resultaría. Arranqué el velo del primer cazador y le corté los pies. Éste se alzó y en aquel instante le asesté un golpe certero en el cuello con mi espada mientras la sangre manaba a borbotones de sus piernas.

Al segundo le corté los pies y luego le sajé el torso, descargando un golpe sobre su cabeza antes de que él lograse aferrar mi espada con la mano. Alcé el arma y le corté la mano.

—¡Muere, cerdo! ¡Tú me atacaste con tu compinche, te recuerdo bien!

Por fin le tocó el turno al último de los cazadores, y a los pocos segundos sostuve su cabeza por las barbas.

Regresé lentamente con la cabeza del último cazador, haciendo rodar las otras a puntapiés como si fueran una basura, pues no tenía fuerzas para arrojarlas con la mano, hasta colocarlas en un lugar donde la luz incidiera sobre ellas.

La cripta estaba iluminada. El sol del atardecer penetraba por el lado oeste de la capilla. Y de la abertura que había en lo alto emanaba un calor terrorífico y fatal.

Me enjugué despacio el rostro con el dorso de la mano izquierda. Dejé mi espada y saqué los pañuelos que los monjes habían guardado en mis bolsillos para limpiarme la cara y las manos.

Luego tomé la espada y me dirigí de nuevo a los pies del catafalco sobre el que yacía ella. No se había movido. La luz se había desplazado y no incidía sobre su cuerpo, ni sobre los cadáveres de sus compañeros.

Ursula yacía a salvo sobre su lecho de piedra, con las manos inmóviles, bellamente cruzadas sobre el pecho, la derecha sobre la izquierda. El crucifijo de oro estaba sobre el blanco montículo de sus senos. Una ligera corriente de aire que penetraba por la abertura agitaba su cabellera, que formaba un halo de filamentos dorados en torno al rostro inerte.

La melena suelta y ondulada, desprovista de cintas y perlas, se desparramaba sobre los bordes del estrecho catafalco, al igual que los pliegues del vestido largo y recamado. No era el mismo que lucía la última vez que la había visto. Presentaba el mismo color rojo intenso, pero éste se hallaba ricamente bordado y era nuevo y suntuoso, como si se tratara de una princesa real, siempre presta a recibir el beso de su príncipe.

—¿Podía el infierno recibir esto? —musité.

Me acerqué tanto como juzgué prudente. No soportaba la idea de que alzara su brazo de forma mecánica, de que moviera los dedos en el aire en un intento de atraparme o que abriera los ojos. No lo resistiría.

Debajo del dobladillo del vestido asomaban las puntas menudas de sus chapines. Con qué esmero debió de acostarse al amanecer. ¿Quién habría cerrado la trampa, cuyas cadenas habían caído? ¿Quién había colocado la trampa formada por las lanzas, las cuales yo no había examinado ni siquiera imaginado en mi pensamiento?

Por primera vez observé en la penumbra que Ursula lucía una pequeña diadema de oro, sujeta en la coronilla con unas diminutas horquillas clavadas en sus bucles, de forma que la perla que la adornaba pendía sobre su frente. Era un objeto minúsculo.

¿Acaso sería su alma tan minúscula como ese objeto? ¿La recibiría el infierno del mismo modo que el fuego aceptaría cualquier parte de su anatomía, al igual que el sol abrasaría su inmaculado rostro hasta convertirlo en una masa horrenda?

Tiempo atrás ella había dormido, y soñado, en el útero de su madre, y unas manos la habían depositado en brazos de su padre.

¿Qué tragedia debió de ocurrir para que acabara en esa pútrida y hedionda sepultura, donde las cabezas de sus compañeros asesinados ardían lentamente bajo los pacientes e indiferentes rayos del sol?

Me volví hacia ellos, con la espada apuntando al suelo.

—Uno, dejad que viva uno. ¡Sólo uno! —imploré.

Ramiel se cubrió la cara con las manos y se volvió de espaldas a mí. Setheus no apartó la vista pero meneó la cabeza en sentido negativo. Mis guardianes se limitaron a observarme con su habitual frialdad, como hicieran hasta el momento. Mastema me miró de hito en hito, en silencio, ocultando cualquier pensamiento que atravesara su mente bajo la serena máscara de su semblante.

—No, Vittorio —respondió—. ¿Acaso crees que un nutrido grupo de ángeles del Señor te han ayudado a superar estos obstáculos para dejar que uno de esos monstruos viva?

—Ella me amaba, Mastema. Y yo la amo. Ella me dio la vida. Te lo pido en nombre del amor, Mastema. Te lo suplico en nombre del amor. Todo cuanto ha ocurrido hoy aquí fue un acto de justicia. ¿Pero qué puedo decir a Dios si mato a este ser que me ha amado y a quien yo amo?

El ángel, sin cambiar de expresión, me observó con su eterna calma. Oí un ruido tremendo. Eran los sollozos de Ramiel y Setheus. Mis guardianes se volvieron para contemplarlos, sorprendidos sólo levemente, tras lo cual fijaron de nuevo en mí sus ojos dulces, soñadores e inmutables.

—Sois unos ángeles crueles —declaré—. ¡No, no es justo, lo sé! Miento. Miento. Perdonadme.

—Te perdonamos —dijo Mastema—. Pero debes cumplir lo que me prometiste.

—¿No podría salvarse, Mastema? Si ella misma renunciara... ¿Podría quizá...? ¿Su alma sigue siendo humana?

El ángel no contestó. Permaneció mudo.

—Te lo ruego, Mastema, respóndeme. ¿Es que no lo comprendes? Si ella se salvara, yo me quedaría aquí con ella y podría obligarla a renunciar a su condición, lo sé porque tiene un corazón bondadoso. Es joven y bondadoso. Dime, Mastema, ¿podría salvarse una criatura como ella?

No hubo respuesta. Ramiel apoyó la cabeza en el hombro de Setheus.

—Te lo suplico, Setheus —dije—. Contesta, ¿podría salvarse?¿Debe morir a mis manos? ¿No podría quedarme aquí con ella y obligarla a confesar, a renegar de todo el mal que ha cometido? ¿No existe ningún sacerdote que pueda darle la absolución? ¡Dios bendito!

—Vittorio —le murmuró Ramiel—, ¿es que tienes los oídos taponados con cerumen? ¿No oyes gritar de hambre a los prisioneros? Aún no los has liberado. ¿Lo harás esta noche?

—Puedo hacerlo, sí. ¿Pero no puedo permanecer aquí con ella? Cuando se percate de que está sola, de que los otros han perecido, de que las promesas que hizo a Godric y a Florian eran una aberración, ¿no es posible que ofrezca su alma a Dios?

Mastema, sin que variara un ápice la expresión de sus ojos suaves y fríos, volvió despacio la cabeza.

—¡No! ¡No me des la espalda! —grité al tiempo que sujetaba su poderoso brazo envuelto en seda. Sentí la insuperable fuerza debajo del tejido, ese tejido extraño y sobrenatural. Él me miró—. ¿Por qué te niegas a responder?

—¡Por el amor de Dios, Vittorio! —bramó de repente, y su voz llegó a todos los rincones de la cripta—. ¿No lo comprendes? ¡Nosotros no lo sabemos! —Tras obligarme a soltarlo me miró ceñudo, con la mano apoyada en el pomo de la espada y gritó—: ¡No provenimos de una especie que haya conocido jamás el perdón! No somos de carne y hueso; en nuestros dominios las cosas se dividen en luz y tinieblas. ¡Eso es todo lo que sabemos!

Furioso, dio media vuelta y se dirigió hacia Ursula. Yo corrí tras él en un intento de detenerlo, incapaz de torcer su voluntad.

Mastema extendió la mano, impidiendo que ella le sujetara, y la tomó por el delicado cuello. Ursula lo miró con aquella espantosa ceguera.

—Posee un alma humana —dijo el ángel en voz baja.

Luego retrocedió como si no quisiera tocarla, como si no soportara tocarla, y al retirarse me apartó de un empellón.

Rompí a llorar. El sol había variado de posición, y las sombras empezaban a invadir la cripta. Por fin, me volví. A través de la abertura penetraba una luz pálida. Dorada y radiante, pero pálida.

Mis ángeles seguían allí, agrupados; observaban y aguardaban.

—Me quedo aquí —dije—. Ella no tardará en despertar. Entonces le pediré que ruegue a Dios que le conceda su gracia.

Lo decidí en el instante de decirlo. Lo comprendí sólo al pronunciar esas frases.

—Me quedaré junto a ella. Si renuncia a todos sus pecados en aras del amor de Dios, podrá permanecer a mi lado, y cuando nos sobrevenga la muerte, no alzaremos una mano para acelerarla y Dios nos recibirá a los dos.

—¿Crees que tendrás las fuerzas suficientes para hacerlo? —me preguntó Mastema—. ¿Y ella? ¿Será capaz?

—Se lo debo —respondí—. Estoy en deuda con ella. Jamás te he mentido, ni a ti ni a ninguno de vosotros. Nunca me he mentido a mí mismo. Ella mató a mi hermano y a mi hermana. Yo mismo lo vi. Sin duda mató a otros miembros de mi familia. Sin embargo ella me salvó. Lo hizo en dos ocasiones. Matar es sencillo, pero salvar la vida de otro, no.

—¡Ah! —exclamó Mastema como si yo le hubiera golpeado—. Eso es cierto.

—De modo que me quedo. No espero nada de vosotros. Sé que no puedo salir de aquí. Quizás ella tampoco pueda abandonar esta cripta.

—Por supuesto que puede —replicó Mastema.

—No le abandones aquí —intervino Setheus—. Llévatelo aunque sea en contra de su voluntad.

—Ninguno de nosotros puede hacerlo, y tú lo sabes —repuso Mastema.

—Al menos sácalo de esta cripta —suplicó Ramiel—, como si le rescataras de un precipicio en el que hubiera caído.

—Pero no es así, y no puedo hacerlo.

—Entonces quedémonos aquí junto a él —propuso Ramiel.

—Sí, quedémonos aquí —convinieron mis dos guardianes, más o menos de forma simultánea y con el mismo tono suave.

—Deja que ella nos vea.

—¿Cómo sabemos que puede vernos? —dijo Mastema—. ¿Cómo sabemos que nos verá? ¿Cuántas veces ocurre que un ser humano consigue vernos?

Por primera vez noté que estaba furioso. De pronto se volvió hacia mí y exclamó:

—¡Dios ha estado jugando contigo, Vittorio, al darte estos enemigos y estos aliados!

—Sí, lo sé, y rogaré al Señor con todas mis fuerzas y el peso de mi sufrimiento que salve el alma de Ursula.

No pretendí cerrar los ojos.

Sé que no lo hice.

Pero toda la escena cambió de modo súbito y radical. El montón de cabezas seguía intacto, y algunas yacían algo apartadas, encogidas, secas, exhalando un humo acre. La luz procedente de la abertura que había en lo alto se oscureció, aunque seguía siendo dorada e iluminaba la maltrecha escalera y las lanzas que yo había partido, sobre las que se reflejaba el fulgor dorado de los últimos rayos crepusculares.

Y mis ángeles habían desaparecido.

12

No me dejes caer en la tentación

No obstante mi juventud, mi cuerpo había llegado al límite de sus fuerzas. Pero ¿cómo podía quedarme en esa cripta, aguardando a que ella despertara, sin tratar de hallar el medio de salir?

No pensé en el rechazo de mis ángeles. Aunque sin duda lo merecía, estaba convencido de la rectitud de mi deseo de conceder a Ursula la oportunidad de implorar a Dios que la perdonara, que ambos abandonáramos esa cripta y, en caso necesario, acudiéramos a un sacerdote que pudiera absolver su alma humana de todos los pecados. En caso de que ella no pudiera realizar una confesión perfecta en aras del amor de Dios, la absolución la salvaría.

Examiné la cripta, sorteando los cadáveres que se habían secado bajo el sol. La escasa luz que penetraba puso de relieve los charcos de sangre que se deslizaban entre los catafalcos de piedra.

Por fin hallé lo que andaba buscando, una amplia escalera de cuerda que pudiera alzar y arrojar hacia el techo. Pero ¿sería capaz de manipularla sin ayuda?

La arrastré hasta el centro de la cripta, apartando de una patada las cabezas que mostraban un aspecto atroz, deposité la escalera en el suelo y, situándome entre dos peldaños, intenté alzarla.

Imposible. Me faltaban fuerzas. La escalera pesaba mucho debido a su longitud. Se requerían tres o cuatro hombres forzudos para alzarla lo suficiente, de modo que los peldaños superiores se engancharan en las lanzas rotas, pero yo no podía hacerlo solo.

Con todo, existía otra posibilidad. Una cadena o una soga para arrojarla hacia las lanzas que había en lo alto. Busqué en la penumbra un objeto semejante, pero no hallé ninguno.

¿Era posible que no hubiera una soga ni una cadena?

¿Acaso las larvas habían sido capaces de salvar de un salto la distancia entre el suelo y la escalera rota?

Busqué a lo largo de los muros un saliente, un gancho o una protuberancia que indicara la existencia de un almacén o, ¡Dios nos libre!, otra cripta utilizada por estos demonios.

No encontré nada.

Por fin, fatigado, me acerqué de nuevo al centro de la habitación. Recogí todas las cabezas, incluso el odioso cráneo pelado de Godric, que aparecía ahora renegrido como el cuero y mostraba dos cavidades amarillas en lugar de ojos, y las amontoné en un lugar donde la luz siguiera incidiendo en ellas.

Luego, tropezando con la escalera, caí de rodillas junto al catafalco de Ursula.

Me tumbé en el suelo para dormir un rato, o al menos descansar.

Sin pretenderlo, incluso con timidez y temor, dejé que mi cuerpo se relajara, cerré los ojos y, tendido en el suelo de piedra, me sumí en un bendito sueño reparador.

Fue muy curioso.

Supuse que el grito de Ursula me despertaría, que, al igual que una niña, al despertarse en la oscuridad sobre su catafalco y comprobar que estaba sola y rodeada de cabezas gritaría angustiada.

Supuse que el hecho de ver las cabezas apiladas en un montón la horrorizaría.

Pero no fue así.

La luz crepuscular invadía el espacio superior, de color violeta como las flores del prado, y ella estaba de pie junto a mí.

Se había colgado el rosario en torno al cuello, lo cual no es infrecuente, y lo lucía a modo de bello adorno. El crucifijo de oro se balanceaba bajo la luz, como una resplandeciente mota dorada semejante a las manchas de luz que reflejaban sus ojos.

Ursula sonrió.

—Mi valiente héroe, ven, huyamos de este lugar mortuorio. Lo has conseguido, les has vengado.

—¿Has movido los labios?

—¿Es preciso que lo haga cuando hablo contigo?

Sentí un escalofrío de deseo cuando Ursula me obligó a que me levantara. Me miró a los ojos, con las manos apoyadas en mis hombros.

—Bendito seas, Vittorio —dijo. Acto seguido, rodeándome la cintura con un brazo, ascendió llevándome consigo. Nos elevamos sobre las lanzas rotas sin ni siquiera rozar sus afilados mangos, y penetramos en la umbrosa capilla. Las vidrieras se habían oscurecido y las sombras jugueteaban gráciles pero respetuosas en torno al distante altar.

—Amor mío, amor mío —dije—. ¿Sabes lo que hicieron los ángeles? ¿Lo que dijeron?

—Liberemos a los presos, tal como deseas —contestó Ursula.

Me sentí más animado, lleno de renovado vigor. Nadie habría adivinado que había tenido que superar una dura prueba, que la titánica lucha me había robado las fuerzas y el ánimo, que durante días la batalla y el esfuerzo constituyeron parte integrante de mi ser.

Juntos atravesamos apresuradamente el castillo, abriendo una tras otra las puertas de par en par para liberar a los desdichados que estaban en el corral. Fue Ursula quien corrió con pies ligeros y felinos por los senderos que discurrían entre los naranjos y las jaulas de las aves, volcando los pucheros de caldo, informando a los cojos y a los desesperados de que eran libres, que nadie les retenía en el castillo.

En un santiamén nos situamos en un elevado balcón. En la penumbra contemplé a mis pies la triste procesión, una larga hilera de tullidos que descendía por la ladera de la montaña bajo el cielo violáceo y la estrella de la noche. Los débiles ayudaban a los fuertes; los viejos transportaban a los jóvenes.

—¿Adónde irán? ¿Regresarán a esa malvada población? ¿Junto a los monstruos que los entregaron al sacrificio? —De pronto se apoderó de mí una violenta furia—. Esas gentes deben recibir castigo.

—El tiempo todo lo resuelve, Vittorio. Tus pobres y tristes víctimas ya son libres. Ven, nuestro momento ha llegado.

La falda de Ursula se infló formando un enorme círculo oscuro mientras descendíamos por el aire, frente a las ventanas, junto a los muros, hasta que mis pies aterrizaron en el mullido suelo.

—¡Bendito sea Dios, estamos en el prado! —exclamé—. Lo veo con tal nitidez bajo el resplandor de la luna como lo viera en mis sueños.

Me sentí embargado por una súbita ternura. Abracé a Ursula, hundiendo los dedos en su espesa y ondulada cabellera. Todo parecía bambolearse a mi alrededor, y sin embargo sentí el tacto de la tierra bajo mis pies al tiempo que bailaba eufórico con ella, y el suave y airoso movimiento de los árboles nos arrullaba mientras nos abrazábamos con fuerza.

—Nada puede separarnos, Vittorio —dijo. De pronto se soltó y echó a correr.

—¡Espera, Ursula! —grité al tiempo que echaba a correr tras ella. Pero la hierba y las azucenas crecían altas y frondosas. De pronto tuve la impresión de que aquel paraje no era idéntico al del sueño, pero enseguida comprendí que era una impresión errónea, pues todo estaba impregnado del aroma silvestre del campo y la perfumada brisa agitaba levemente las ramas de los árboles.

Caí agotado, dejando que las flores me acogieran en un suave abrazo. Dejé que las azucenas rojas se inclinaran sobre mi rostro, como si me observaran con curiosidad.

Ella se arrodilló a mi lado.

—Él me perdonará, Vittorio —dijo—. En su infinita misericordia, me perdonará.

—Sí, mi amor, mi bendito y hermoso amor, mi salvadora. Él te perdonará.

El pequeño crucifijo que pendía de su cuello rozó el mío.

—Pero debes hacer esto por mí, tú que me perdonaste la vida en la cripta, que dormiste confiado a los pies de mi tumba, deseo que hagas...

—¿Qué, amor mío? —pregunté—. No tienes más que decírmelo y lo haré.

—Primero reza para que el Señor te dé fuerzas, y luego deseo que tu cuerpo humano, tu cuerpo indemne y bautizado absorba toda la sangre demoníaca que contiene el mío, que la extraigas para liberar mi alma de su conjuro. No temas, no te perjudicará, pues la vomitarás al igual que las pociones que te dimos. ¿Harás eso por mí? ¿Extraerás el veneno que hay en mi interior?

Pensé en las náuseas, el vómito que había brotado de mi garganta en el monasterio. Pensé en los despropósitos que había soltado, en la terrible locura que se había apoderado de mí.

—Hazlo por mí —dijo Ursula.

Se tumbó junto a mí y sentí su corazón atrapado en su pecho, y sentí los latidos del mío, y pensé que jamás había conocido una languidez tan sensual. Noté que mis dedos se contraían. Durante unos instantes dejé que reposaran sobre las piedras del prado, como si los dorsos de mis manos yacieran sobre unos ásperos guijarros, pero enseguida sentí de nuevo la textura de los tallos rotos, el lecho de azucenas purpúreas, rojas y blancas.

Ursula alzó la cabeza.

—En nombre de Dios —dije—, por tu salvación, ingeriré el veneno que contiene tu cuerpo; te chuparé la sangre como si la succionara de una herida gangrenosa, de la llaga de un leproso. Dámela, dame tu sangre.

Su rostro permaneció impasible, tan menudo, tan exquisito, tan blanco.

—Debes ser valiente, amor mío, pues antes debo succionar una porción de tu sangre para que tú absorbas toda la mía. —Ursula apoyó la cabeza en mi cuello y me clavó los dientes—. Valor, sólo un poco más.

—¿Un poco más? —musité—. ¡Ah, un poco más! Levanta la vista, Ursula, contempla el cielo y el infierno en el firmamento, pues las estrellas son unas bolas de fuego que los ángeles sostienen suspendidas.

Pero era un lenguaje exageradamente poético y carente de significado, y al poco de convirtió en un mero eco. Sentí que me envolvía una densa oscuridad, y al alzar la mano tuve la impresión de que la cubría una red dorada y vi a lo lejos mis dedos atrapados en esa red.

De repente el sol inundó el prado. Sentí deseos de huir, de incorporarme, de decirle «Fíjate, ha salido el sol, y tu estás indemne, amor mío». Pero experimenté unas oleadas de un placer divino y sensual que me atravesaban todo el cuerpo, tirando de mí, estimulando mis partes íntimas, un placer magnífico y enloquecedor.

Cuando sus dientes se clavaron en mi carne, tuve la sensación de que afianzaba su alma en mis órganos, en todas las partes de mi ser que correspondían al hombre y antes al niño, y que eran humanas.

—¡Ah, no te detengas, amor mío! —exclamé.

El sol ejecutó una extraña danza sobre las ramas de un castaño.

Ursula abrió la boca, de la que brotó un chorro de sangre, el beso rojo oscuro de sangre.

—Tómala, Vittorio.

—Transmíteme todos tus pecados, criatura divina —respondí—. ¡Dios mío, ayúdame! ¡Apiádate de mí! Mastema...

Pero no terminé la frase. Mi boca se llenó de la sangre de Ursula. No era una poción rancia mezclada con otros repugnantes ingredientes, sino el líquido dulce y cautivador que me diera a través de sus besos más secretos y desconcertantes. Esta vez lo ingerí en un chorro que no cesaba de manar.

Ursula me sujetó por las axilas y me alzó. La sangre parecía no conocer vena alguna pero se extendió a través de mis extremidades, mis hombros y mi pecho, anegando y confiriendo renovada energía a mi corazón. Levanté la vista y contemplé el sol radiante y juguetón. Sentí su melena suave y cegadora sobre mis ojos, pero miré a través de los dorados cabellos. Mi respiración era entrecortada.

La sangre me inundó las piernas, hasta las puntas de los dedos de los pies. Mi cuerpo se sentía revitalizado. Mi corazón latía contra su pecho, y de nuevo sentí su peso sutil y felino, las sinuosas piernas enroscadas en torno a las mías, sujetándome, inmovilizándome, los brazos cruzados bajo mis axilas, los labios pegados a los míos.

Mis ojos no cesaban de pestañear y contraerse, para luego abrirse de golpe, en un ciclo interminable. Mis suspiros eran inmensos, y los latidos de mi corazón retumbaban con potencia, como si no nos halláramos en un prado; los sonidos que emitía mi robustecido cuerpo, el cuerpo transformado, el cuerpo pletórico de su sangre, resonaban sobre las piedras.

El prado desapareció, o quizá no había existido nunca. La luz crepuscular formaba un rectángulo en lo alto. Yo yacía en la cripta.

Me incorporé y aparté con violencia a Ursula, que lanzó un grito de dolor. Me levanté de un salto y contemplé mis manos, extendidas ante mí.

Sentí un hambre terrorífica, una fuerza descomunal, el deseo de emitir un rugido feroz.

Observé la luz violácea que penetraba por la abertura en lo alto y grité.

—¡Lo has conseguido! ¡Me has convertido en uno de los tuyos!

Ursula rompió a llorar. Me precipité hacia ella. Ursula retrocedió con el torso doblado hacia delante, tapándose la boca con la mano mientras sollozaba e intentaba huir de mí. Yo la perseguí. Ursula corría como una rata, dando vueltas en torno a la cripta, gritando como una posesa.

—¡No, Vittorio! ¡No me hagas daño, lo hice por nosotros! ¡Somos libres, Vittorio! ¡Dios mío, ayúdame!

Entonces comenzó a elevarse, zafándose de mis manos. Huyó hacia la capilla que se encontraba en el piso superior.

—¡Bruja, monstruo, larva, me engañaste con tus espejismos, tus visiones, me convertirse en uno de los tuyos!

El eco de mis rugidos no cesaba de resonar mientras yo avanzaba a tientas hasta dar con mi espada. Luego comencé a corretear alrededor de la cripta para adquirir impulso y por fin salté, elevándome por encima de las lanzas para aterrizar en el piso donde se encontraba la capilla; ahí estaba Ursula, temblando ante el altar con los ojos llenos de lágrimas.

Ella retrocedió hasta chocar con unos jarrones de flores rojas apenas visibles bajo el resplandor de las estrellas que penetraba por las oscuras vidrieras.

—¡No me mates, Vittorio, te lo suplico! —imploró entre sollozos y gemidos—. ¡Soy muy joven, como tú, no me mates!

Me lancé sobre ella, y entonces echó a correr hacia el otro extremo del santuario. Furioso, golpeé con mi espada la estatua de Lucifer. Tembló unos segundos y luego cayó, haciéndose añicos en el suelo de mármol del maldito santuario.

Ursula, que se había refugiado en un rincón de la capilla, se puso de rodillas y extendió los brazos en un gesto implorante. Sacudió la cabeza, y su cabellera osciló de un lado a otro.

—¡No me mates, no me mates, no me mates! ¡Si lo haces me enviarás al infierno! ¡No lo hagas!

—¡Desgraciada! —gemí—. ¡Bruja! —Por mis mejillas rodaban unas lágrimas tan abundantes como las suyas—. Tengo sed, bruja. Tengo sed y percibo su olor, el de los esclavos que aún están encerrados en el corral. ¡Huelo su sangre, maldita seas!

Yo también me hinqué de rodillas. Me tumbé sobre el mármol y propiné una patada a los fragmentos de la grotesca estatua. Clavé la punta de mi espada en el encaje del lienzo que cubría el altar y lo derribé al suelo, junto con la masa de flores que lo adornaba. Me revolqué en ellas, sepultando mi rostro en los fragantes pétalos.

Se produjo un terrible silencio, un silencio impregnado de mis gemidos. Sentí mi fuerza incluso en el timbre de mi voz, y en el brazo que sostenía la espada sin fatiga ni contemplaciones, y en la calma indolora en la que yacía sobre un mármol que debía de ser frío pero no lo era, o tal vez es que su frialdad me reconfortaba.

Ella me había hecho poderoso.

Percibí su perfume y alcé la vista. Ursula, un ser tierno, amoroso, con los ojos inundados del resplandor de las estrellas, luminosos, serenos, amables, se hallaba de pie junto a mí. Sostenía en los brazos a un joven humano, un retrasado mental que ignoraba el peligro que corría.

Tenía un aspecto sonrosado y suculento, parecido a un lechón dispuesto para que yo lo saboreara, repleto de burbujeante sangre mortal y listo para ser devorado. Ursula lo depositó ante mí.

Estaba desnudo. El chico se acuclilló, con las nalgas apoyadas en los talones. Su sonrosado pecho temblaba, tenía el pelo largo y negro y una carita redonda e inocente. Parecía estar soñando o acaso buscando unos ángeles en la oscuridad.

—Bebe, amor mío, bebe su sangre —dijo Ursula—. Te dará fuerzas para conducirme ante un padre bondadoso que acepte confesarme.

Yo sonreí. Sentí un deseo casi incontenible de arrojarme sobre aquel joven retrasado. Pero el hecho de que a partir de ahora lograra o no contener mis deseos constituía una incógnita, de modo que me tomé mi tiempo. Me incorporé sobre un codo y la miré.

—¿Un padre bondadoso? ¿Crees que iremos allí? ¿Ahora mismo, los dos, sin más preámbulos?

Ursula se echó a llorar de nuevo.

—No, no, ahora mismo no —meneó la cabeza a modo de negación. Estaba derrotada.

Tomé al muchacho. Mientras bebía su sangre le partí el cuello. El joven no emitió el menor sonido. No hubo tiempo para el temor, el dolor ni las lágrimas.

¿Olvidamos alguna vez a nuestra primera víctima? ¿Es eso posible?

Aquella noche invadí el corral; devoré a los que quedaban en él, gozando con el pantagruélico festín, les clavé los colmillos en el cuello, tomando de cada uno lo que deseaba, enviándolos a Dios o al infierno, ¿cómo voy a saberlo, vinculado como estoy a esta tierra con ella? Ella participó en el festín pero a su estilo, con delicadeza y pulcritud, pendiente de mis alaridos y gemidos, abrazándome para besarme y aplacarme con sus sollozos cuando yo temblaba de rabia.

—Sal de ahí —dije.

Estaba a punto de amanecer. Le dije que no estaba dispuesto a pasar el día bajo las afiladas torres, en esa casa terrorífica, en esa cuna de maldad y perversión.

—Conozco una cueva —dijo Ursula—. Se encuentra al pie de las montañas, más allá de las tierras de cultivo.

—Sí, ¿junto a un auténtico prado?

—En esta hermosa región hay prados sin número, amor mío —respondió Ursula—. Bajo las estrellas, las bonitas flores relucen ante nuestros ojos mágicos como lo hacen para los humanos a la luz del sol de Dios. Ten presente que su luna es nuestra. Y mañana por la noche... antes de que pienses en el sacerdote..., debes pensar en el sacerdote...

—No me hagas reír. Enséñame a volar. Rodea mi cintura con el brazo y enséñame a arrojarme desde estas elevadas murallas y aterrizar sin partirme las piernas. No vuelvas a hablarme de sacerdotes. ¡No te burles de mí!

—... Antes de que pienses en el sacerdote, para que me confiese —prosiguió Ursula sin dejarse amedrentar, con su dulce y suave vocecilla y los ojos anegados en lágrimas de amor—, regresaremos a la población de Santa Maddalana, cuando sus habitantes duerman todavía, y le prenderemos fuego.

13

La niña esposa

No prendimos fuego a Santa Maddalana. Resultaba más divertido perseguir y cazar a sus habitantes.

A la tercera noche, dejé de llorar poco antes del alba, cuando Ursula y yo nos retiramos, abrazados, a nuestra cueva secreta e inaccesible.

Y a la tercera noche, los habitantes de la población comprobaron lo que había ocurrido: su astuto pacto con el diablo se había vuelto contra ellos. Estaban aterrorizados, y Ursula y yo gozamos pillándolos desprevenidos, ocultándonos en la multitud de sombras que componían las serpenteantes callejuelas para reventar las recias y sofisticadas cerraduras.

A primeras horas, cuando nadie se atrevía a moverse de su casa y el buen padre franciscano se hallaba despierto y arrodillado en su celda, rezando el rosario y rogando a Dios que le permitiera comprender lo que estaba ocurriendo (el sacerdote, según recordará el lector, con el que yo había conversado en la posada, el que se había sentado a mi mesa y me había prevenido, pero no de forma agresiva como su hermano dominico, sino con amabilidad), yo entré sigilosamente en la iglesia franciscana y recé también.

Pero cada noche me dije lo que un hombre se dice para sus adentros cuando se acuesta con su adúltera ramera: «Otra noche más, Señor, y luego me confesaré. Una noche más de delirio, Señor, y regresaré a casa junto a mi esposa.»

Los habitantes de la población estaban impotentes frente a nosotros.

Las habilidades que no me eran propias ni las había adquirido a través de la experiencia, me las enseñó mi amada Ursula con paciencia y gracia. Yo era capaz de bucear en una mente, hallar un pecado y devorarlo con un breve movimiento de la lengua mientras le chupaba la sangre a un comerciante holgazán y moribundo que había entregado sus pequeños hijos al misterioso señor Florian, a cambio de que éste le dejara en paz.

Una noche comprobamos que las gentes de la población habían acudido de día al castillo abandonado. Hallamos pruebas de su sigilosa entrada, aunque no tocaran ni se llevaran apenas nada. ¡Menudo susto debieron de llevarse al ver los espeluznantes santos flanqueando el pedestal de Lucifer, el ángel caído, en la capilla! No robaron los candelabros de oro ni el viejo tabernáculo en el que yo había hallado, al meter la mano, un corazón humano encogido y reseco.

Durante nuestra última visita a la Corte del Grial de Rubí, cogí las cabezas abrasadas y coriáceas de los vampiros en el sótano donde se hallaban y las arrojé como si fueran piedras a través de las vidrieras de la capilla. La última muestra del espléndido arte del castillo había desaparecido.

Juntos, Ursula y yo recorrimos todas las alcobas, que yo no conocía ni había imaginado siquiera que existieran. Ella me mostró las habitaciones en las que los miembros de la corte se reunían para jugar a los dados o al ajedrez, o escuchar a pequeñas orquestas de música de cámara. Aquí y allá observamos ciertos indicios de que los habitantes de la población habían robado algunos objetos: un cobertor arrancado de la cama, una almohada tirada en el suelo.

Pero era evidente que las gentes de Santa Maddalana sentían más temor que codicia.

Y mientras los perseguíamos sin tregua, derrotándolos gracias a nuestras artes, los habitantes comenzaron a abandonar Santa Maddalana. Cuando recorríamos las calles desiertas, a medianoche, veíamos los comercios abandonados, las ventanas abiertas, las cunas vacías. La iglesia dominica fue profanada y abandonada, su altar de piedra saqueado. Los cobardes sacerdotes, a los que no concedí la merced de una muerte rápida, abandonaron a su rebaño.

El juego se hizo cada vez más estimulante para mí. Los pocos habitantes que quedaban se mostraban contumaces y avariciosos, y se negaban a capitular sin plantar batalla. Era fácil reconocer a los inocentes, que creían en la fe de la luz guiadora o los santos que les protegían, y a quienes habían jugado con el diablo y ahora se mantenían alertas y preocupados sin soltar la espada.

Me gustaba conversar, mantener un diálogo con ellos en el momento de matarlos.

—¿Creíais que vuestro juego duraría eternamente? ¿Creíais que ese ser al que alimentabais jamás os devoraría?

En cuanto a mi Ursula, ese deporte le disgustaba. No soportaba contemplar el sufrimiento de nuestras víctimas. Había tolerado el antiguo rito de la comunión de la sangre que celebraban en el castillo debido a la música, el incienso y la autoridad suprema de Florian y de Godric, quienes la conducían paso a paso.

Noche tras noche, mientras la población se vaciaba lentamente, las granjas quedaban desiertas y Santa Maddalana, el lugar donde yo había asistido a la escuela, se deterioraba de forma lenta e inexorable, Ursula se dedicaba a jugar con los niños huérfanos. A veces se sentaba en los escalones de la iglesia y acunaba a un niño en sus brazos, haciendo gorgoritos para distraerlo mientras le contaba historias en francés.

Cantaba viejas canciones en latín procedentes de las cortes de su época, esto es de hacía doscientos años, según me dijo, y hablaba sobre batallas en Francia y en Germania cuyos nombres no significaban nada para mí.

—No juegues con los niños —le advertía yo—. Más tarde lo recordarán. Se acordarán de nosotros.

Al cabo de quince días la comunidad se hallaba irreparablemente destruida. Tan sólo quedaban los huérfanos y algunos ancianos, así como el padre franciscano y el padre de éste, el hombrecillo semejante a un duende que permanecía sentado por las noches en su habitación, jugando a los naipes en solitario, sin adivinar siquiera lo que ocurría a su alrededor.

Hacia la decimoquinta noche, cuando llegamos a la población comprendimos de inmediato que sólo quedaban dos personas.

Oímos al diminuto anciano cantando para sí en la desierta posada, cuyas puertas se encontraban abiertas. Estaba muy borracho, y su calva húmeda y sonrosada relucía a la luz de la vela. Dispuso los naipes sobre la mesa en un círculo para jugar a una especie de solitario llamado «el reloj».

El padre franciscano se hallaba sentado junto a él. Cuando entramos en la posada alzó la vista y nos miró de frente, con calma.

Yo estaba famélico, ansiaba devorar con avidez la sangre de esos dos hombres.

—Nunca te dije mi nombre, ¿verdad? —preguntó el sacerdote.

—No, padre —contesté.

—Joshua —dijo el cura—. Ése es mi nombre, fray Joshua. El resto de la comunidad ha regresado a Asís, y se han llevado a los últimos niños. Es un largo viaje al sur.

—Lo sé, padre —contesté—. He estado en Asís, he rezado en la iglesia de San Francisco. Dígame, padre, cuando me mira, ¿ve ángeles a mi alrededor?

—¿Por qué iba a ver unos ángeles? —preguntó en tono quedo. Luego miró a Ursula—. Veo belleza, veo juventud encajada en marfil bruñido. Pero no veo ángeles. Jamás he visto unos ángeles.

—Yo sí los he visto —dije—. ¿Me permite que me siente?

—Como gustes —respondió el sacerdote, observándonos a los dos.

El franciscano cambió de postura en su dura y tosca silla de madera al tiempo que yo me sentaba frente a él, al igual que aquel día en la aldea, aunque en estos momentos no nos hallábamos sentados bajo la fragante arboleda bajo el sol, sino en el interior de la posada, donde la luz de las velas agrandaba los volúmenes y proporcionaba el calor.

Ursula me miró confundida, tratando de adivinar mis intenciones. Yo nunca la había visto conversar con un ser humano que no fuera yo o los niños con los que había jugado en la aldea, es decir, unos seres que le inspiraban ternura y a quienes no deseaba destruir.

Yo no podía adivinar qué pensaba sobre aquel anciano y su hijo, el sacerdote franciscano.

El anciano ganó la partida de naipes.

—¿Lo ves? ¡Ya te lo dije! ¡Es nuestro día de suerte! —exclamó. Luego recogió las grasientas cartas para barajarlas y jugar de nuevo.

El sacerdote lo miró con expresión ausente, como si estuviera demasiado distraído para responder a su padre y tranquilizarlo. Luego me miró.

—Vi a esos ángeles en Florencia —dije—. Les he fallado, he roto la promesa que les hice, he perdido mi alma.

El sacerdote se volvió hacia mí bruscamente.

—¿Por qué prolongas esto? —preguntó.

—No les lastimaré. Ni tampoco lo hará mi compañera —respondí con un suspiro. En aquel momento de la conversación me habría venido bien una copa de vino o una jarra de cerveza. Mi ansia de sangre me producía una intensa angustia. Me pregunté si a Ursula le ocurría lo mismo. Observé la copa de vino del sacerdote, el cual no representaba nada en absoluto para mí, y observé su rostro sudoroso a la luz de la vela. Luego proseguí—: Quiero que sepa que los vi, que hablé con ellos. Intentaron ayudarme a destruir a esos monstruos que tenían dominada a la población, y a las almas de los que están aquí. Deseo que lo sepa, padre.

—¿Por qué me explicas esto, hijo?

—Porque eran hermosos, y tan reales como nosotros. Usted nos ha visto, ha visto a unos seres demoníacos; ha contemplado la ignominia y la traición, la cobardía y la mentira. Estos seres que contempla ante usted son unos diablos, unos vampiros. Pues bien, deseo que sepa que yo vi a esos ángeles con mis propios ojos, unos auténticos y magníficos ángeles, más gloriosos de lo que soy capaz de describir con palabras.

El sacerdote me miró largamente con expresión pensativa. Luego miró a Ursula, que parecía preocupada y no apartaba la vista de mí, temerosa de que estuviera sufriendo.

—¿Por qué les fallaste? ¿Por qué se te aparecieron esos ángeles? Y si contabas con su ayuda, ¿por qué fracasaste en tu empresa?

Yo me encogí de hombros y sonreí.

—Por amor.

El sacerdote no respondió.

Ursula apoyó la cabeza en mi brazo. Al reclinarse sobre mí noté que su cabellera me rozaba la espalda.

—¿Por amor? —repitió el sacerdote.

—Sí, y por honor.

—¡Honor!

—Nadie puede comprenderlo. Dios no lo aceptará, pero es cierto. ¿Qué es lo que nos separa, padre, a usted y a mí, y a la mujer que está sentada junto a mí? ¿Qué es lo que se interpone entre nosotros, entre el honesto sacerdote y los dos demonios?

El anciano emitió una risita. Había realizado una jugada magistral.

—¡Qué te parece! —exclamó al tiempo que me miraba

con sus astutos ojillos—. Disculpa, había olvidado tu pregunta. Yo conozco la respuesta.

—¿Cómo? —preguntó el sacerdote volviéndose hacia el anciano—. ¿Conoces la respuesta?

—Por supuesto —respondió el padre dándose otra carta—. Lo que separa a esos dos de una buena confesión es flaqueza y el temor de arder en el infierno si se ven obligados a renunciar a sus vidas.

El sacerdote miró estupefacto a su padre.

Yo también lo hice.

Ursula no dijo palabra. De pronto me besó en la mejilla y murmuró:

—Anda, vámonos. Santa Maddalana ya no existe. Marchémonos de aquí.

Eché un vistazo alrededor de la habitación de la posada, que estaba en penumbra. Vi los viejos barriles. Contemplé con profunda perplejidad e insólita congoja todas las cosas que los humanos utilizaban y tocaban. Observé las toscas manos del sacerdote, apoyada una sobre otra en la mesa. Reparé en el vello que cubría el dorso de sus manos, en sus gruesos labios y sus ojos grandes, húmedos y llenos de tristeza.

—Le ruego que acepte este regalo que le hago —murmuré—. El secreto de los ángeles. ¡Le aseguro que los vi! Usted ha podido comprobar lo que soy, por tanto sabe que no le engaño. Vi sus alas, sus halos, vi sus pálidos rostros, y la espada de Mastema el poderoso. Ellos fueron quienes me ayudaron a saquear el castillo y a destruir a todos los demonios salvo uno, esta niña esposa, la mía.

—Una niña esposa —musitó Ursula, entusiasmada. Me miró pensativa y se puso a canturrear con voz suave una antigua tonada, una de esas viejas cancioncillas. Luego me apretó el brazo y murmuró en tono tan convincente como apremiante—: Vámonos, Vittorio, deja a estos hombres en paz. Ven conmigo y te contaré mi historia, cómo me convertí realmente en una niña esposa. —Miró al sacerdote con renovada animación—. Sí, yo fui una niña esposa. Se presentaron unos hombres en el castillo de mi padre y me compraron, dijeron que yo debía ser virgen, y las comadronas aparecieron con una palangana de agua caliente y tras examinarme declararon que lo era. Florian me tomó entonces como esposa. Yo fui su esposa.

El sacerdote clavó la vista en ella, incapaz de moverse aunque lo deseara. El anciano alzó los ojos, con expresión risueña, asintiendo con la cabeza mientras escuchaba el relato de Ursula, y siguió jugando a los naipes.

—¿Se imaginan mi horror? —preguntó a los dos hombres. Luego se volvió hacia mí y apartó con un movimiento de cabeza el pelo que le caía sobre la cara; lo tenía rizado debido a las trenzas que se lo apresaran antes—. ¿Se imaginan lo que sentí al sentarme en el diván y ver a mi esposo, un individuo de una palidez cadavérica, como si estuviera muerto, tal como debemos parecerles nosotros a ustedes?

El sacerdote no respondió. Poco a poco los ojos se le inundaron de lágrimas. ¡Lágrimas!

Qué maravilloso espectáculo, incruento, cristalino, un espléndido adorno para su viejo y afable rostro de pronunciada papada y labios gruesos.

—Me condujeron a una capilla en ruinas —prosiguió Ursula—, un lugar lleno de arañas y bichos donde me desnudaron y tendieron sobre un altar sacrílego para que Florian me hiciera su esposa. —Ursula apartó la mano de mi brazo y abrió los brazos en un gesto ambiguo e infantil—. Yo lucía un velo muy largo, precioso, y un elegante vestido de seda bordado, y él me los arrancó y me poseyó con su miembro duro como una piedra, carente de vida, de semilla, y luego con sus colmillos, como estos que yo poseo ahora. ¡Fue una boda atroz! ¡Y pensar que mi padre me había vendido a ese ser!

Por las mejillas del sacerdote rodaron unas lágrimas.

Miré a Ursula estupefacto, presa de dolor y de rabia; rabia contra un demonio que yo había matado, una rabia que confié en que traspasara las brasas del infierno y lo agarrara del cuello como unas tenazas ardientes.

No dije nada.

Ursula enarcó las cejas y ladeó la cabeza.

—Al cabo de un tiempo él se cansó de mí —dijo—. Pero nunca dejó de amarme. Hacía poco que formaba parte de la Corte del Grial de Rubí; era un joven señor que buscaba constantemente incrementar su poder y realzar su vida sexual. Más tarde, cuando le pedí que perdonara la vida a Vittorio, no pudo negarse debido a los votos que habíamos cambiado hacía años sobre aquel altar de piedra. Después de dejar que Vittorio se marchara, cuando dio con él en Florencia y se convenció de que estaba loco y hundido, Florian me cantaba canciones, unas canciones para su esposa. Me cantaba viejos poemas como si deseara reavivar nuestro amor.

Me cubrí la frente con la mano derecha. No soportaba derramar esas lágrimas de sangre que vertimos cuando lloramos. No soportaba contemplar ante mí, como en una pintura de Fra Filippo, esa sexualidad que ella había descrito.

Fue el sacerdote quien rompió el silencio.

—Ambos sois muy jóvenes —dijo con labios temblorosos—. Unos niños.

—Así es —respondió Ursula con su exquisita voz, con convicción y una pequeña sonrisa de aquiescencia. Me tomó la mano izquierda y la acarició de forma tierna y sincera—. Por siempre niños. Florian también era muy joven.

—Lo vi en una ocasión —dijo el sacerdote con voz entrecortada pero suave—. Sólo una vez.

—¿Y sabía quién era? —pregunté.

—Sabía que yo era impotente ante él, pese a mi desesperada fe, y que tenía las manos atadas con unas ligaduras que me era imposible romper.

—Vámonos, Vittorio, no le hagas llorar otra vez —dijo

Ursula—. Marchémonos de aquí. Esta noche no necesitamos sangre y me horroriza pensar en hacer daño a estos hombres, no podría siquiera...

—No, amor mío, jamás —la tranquilicé—. Pero acepte mi regalo, padre, la única cosa limpia que puedo ofrecerle, mi testimonio de que vi unos ángeles, y que ellos me sostuvieron cuando me flaquearon las fuerzas.

—¿No quieres que te dé la absolución, Vittorio? —preguntó el sacerdote. Ahora su voz parecía haber adquirido un tono más potente y su pecho mayor volumen—. Aceptad mi absolución, Vittorio y Ursula.

—No, padre —contesté—, no podemos aceptarla. No la queremos.

—¿Por qué?

—Porque —repuso Ursula en tono afable—, nos proponemos volver a pecar en cuanto se presente otra ocasión.

14

A través de un espejo oscuro

Ella no había mentido.

Esa noche partimos hacia casa de mi padre. Aunque nuestro viaje fue breve, eran muchos kilómetros para un mortal y en aquella remota región agrícola no conocían la noticia de que la amenaza de los demonios nocturnos, los vampiros de Florian, había desaparecido. Lo más probable era que mis granjas estuviesen abandonadas debido a las espeluznantes historias que hicieran correr de boca en boca quienes habían huido de Santa Maddalana, viajando a través de colinas y valles.

Sin embargo no tardé mucho en darme cuenta de que el castillo de mi familia estaba ocupado. Una legión de soldados y ordenanzas se había puesto afanosamente manos a la obra.

Cuando trepamos sobre la gigantesca muralla, pasada la medianoche, comprobamos que todos los muertos de mi familia habían sido enterrados, o cuando menos colocados en sus féretros de piedra debajo de la capilla, y que todos los bienes del castillo, los abundantes tesoros, habían sido robados. Sólo quedaban unos pocos carros, que pertenecían a los que ya habían emprendido viaje al sur.

Los pocos que dormían en las dependencias del administrador de mi padre eran contables del banco de los Médicis, y a la tenue luz de un firmamento tachonado de estrellas examiné en silencio los escasos papeles que habían dejado para que se secaran.

Toda la herencia de Vittorio di Raniari se había reunido, catalogado y transportado a Florencia para depositarla a buen recaudo en las arcas de Cosme, hasta el momento en que Vittorio di Raniari cumpliera veinticuatro años y estuviera en condiciones de asumir la responsabilidad de sus asuntos personales y financieros.

Sólo unos pocos soldados dormían en los cuarteles. Sólo unos pocos caballos se hallaban en los establos. Sólo unos pocos mozos y ayudantes dormían en unas dependencias próximas a las de sus patronos.

Puesto que el inmenso castillo no tenía ninguna utilidad estratégica para las autoridades milanesas, germanas, francesas o papales, ni tampoco para la ciudad de Florencia, no se habían molestado en restaurarlo ni repararlo, limitándose a cerrarlo.

Sin esperar a que amaneciera, abandonamos mi hogar, pero antes de partir fui a despedirme de la tumba de mi padre.

Yo sabía que regresaría. Sabía que muy pronto los árboles treparían por las laderas hasta alcanzar los muros del castillo. Sabía que la alta hierba asomaría a través de los resquicios y grietas de los adoquines. Sabía que los humanos dejarían de amar ese lugar, como habían dejado de amar tantas ruinas diseminadas por aquella región.

Entonces yo regresaría. Estaba convencido de ello.

Aquella noche, Ursula y yo recorrimos la vecindad en busca de algunos bandidos que hallamos en el bosque, riendo alegremente cuando los atrapamos y obligamos a apearse de sus monturas. ¡Fue un festín increíble!

—¿Adónde iremos, señor? —me preguntó mi esposa por la mañana.

Habíamos hallado una cueva donde refugiarnos, profunda y bien oculta, repleta de espinosas zarzas que apenas arañaron nuestra curtida piel, y descansamos tras un velo de arándanos silvestres que nos protegía de los ojos de cualquier curioso, incluso del sol que comenzaba a alzarse.

—A Florencia, amor mío. Debo ir allí. En sus calles no pasaremos nunca hambre, ni corremos el riesgo de ser descubiertos. Hay ciertas cosas que debo ver con mis propios ojos.

—¿Qué cosas son ésas, Vittorio? —preguntó Ursula.

—Pinturas, mi amor, pinturas. Deseo contemplar los ángeles que aparecen en esas pinturas. Debo... debo enfrentarme a ellos, por así decirlo.

Mi respuesta satisfizo a Ursula, que jamás había visitado la imponente ciudad de Florencia. Durante su desdichada y eterna existencia compuesta de ritos y disciplina cortesana, había permanecido encerrada en las montañas, y se tumbó junto a mí para soñar con la libertad, con espléndidos colores como el azul, el verde y el oro, tan opuestos al rojo oscuro que todavía lucía. Se acostó a mi lado, confiando plenamente en mí. Por mi parte, yo no confiaba en nadie.

Lamí la sangre humana que tenía en los labios mientras me preguntaba cuánto tiempo permanecería aún en la Tierra antes de que alguien me cortara la cabeza con un contundente y certero golpe de espada.

15

La Inmaculada Concepción

En la ciudad de Florencia se había organizado un gran revuelo.

—¿A qué se debe? —inquirí.

Hacía mucho que había sonado el toque de queda, del que nadie hacía demasiado caso, y en Santa Maria Maggiori —el Duomo— se había congregado una enorme multitud de estudiantes para asistir a la conferencia de un humanista que sostenía que Fra Filippo Lippi no era un cerdo como se afirmaba.

Nadie reparó en nosotros. Nos habíamos alimentado de unas víctimas que habíamos cazado en el campo, y lucíamos unas pesadas capas que sólo dejaban entrever una pequeña porción de nuestra pálida piel.

Entré en la iglesia. La multitud llegaba hasta las mismas puertas.

—¿Qué sucede? ¿Qué le ha ocurrido al gran pintor?

—Esta vez se ha metido en un lío gordo —contestó un hombre sin molestarse en mirarnos ni a mí ni la esbelta figura de Ursula, que estaba apoyada en mí.

El hombre estaba pendiente por completo del orador, el cual se hallaba de pie ante la multitud.

Al hablar, su voz retumbaba a través de la gigantesca nave.

—¿Qué es lo que ha hecho?

Al no obtener respuesta, me abrí camino como pude entre la nutrida y apestosa muchedumbre humana, arrastrando a Ursula tras de mí. Ésta se sentía un tanto cohibida por aquella ciudad tan imponente, y durante los más de doscientos años de su vida no había contemplado una catedral de semejantes proporciones.

Formulé mi pregunta a dos jóvenes estudiantes, quienes se volvieron de inmediato para responderme. Ambos vestían a la moda y tendrían unos dieciocho años, eran lo que en aquella época llamaban en Florencia *giovanetti*, esa edad tan complicada en que eres demasiado mayor para considerarte un crío, como era yo, y demasiado joven para ser un hombre.

—Filippo pidió a una joven y hermosa monja que posara para el cuadro del altar que estaba pintando, en el que aparece la Virgen María —me explicó el primer estudiante, un joven de pelo negro y ojos de mirada profunda, que me observaba con sonrisa burlona—. Pidió al convento que eligieran a la monja que debía posar para él, con objeto de pintar a una Virgen perfecta, y entonces...

El otro estudiante concluyó el relato.

—¡Se fugó con ella! —exclamó—. Raptó a la monja del convento, se fugó con ella y con la hermana de ésta, su hermana de sangre. Se han instalado en una vivienda sobre el taller, él, la monja y la hermana de ésta, los tres, el monje y las dos monjas. Vive en pecado con ella, Lucrezia Buti, a la que ha utilizado de modelo para pintar la Virgen del cuadro del altar, sin importarle un comino lo que piense la gente.

La multitud nos empujaba y zarandeaba. Unos hombres nos mandaron callar. Los estudiantes apenas lograban contener la risa.

—Si no contara con el apoyo de Cosme —dijo el primer estudiante en un murmullo obediente pero socarrón—, ya lo habrían ahorcado, me refiero a la familia de la monja, los Buti, cuando no los sacerdotes de la orden de los carmelitas o la población entera.

El otro estudiante meneó la cabeza y se tapó la boca para contener una carcajada.

El orador, desde el fondo, aconsejó a todos que conservaran la calma y dejaran que las autoridades se ocuparan de ese escándalo y ultraje, pues todo el mundo sabía que no existía en Florencia un pintor más genial que Fra Filippo; Cosme resolvería esa cuestión en el momento oportuno.

—Siempre ha sido un hombre atormentado —comentó el estudiante que estaba junto a mí.

—Atormentado —murmuré—. Atormentado. —Recordé su rostro, el rostro del monje que viera hacía años en casa de Cosme en Via Larga, discutiendo con vehemencia para ser libre, para pasar un rato con una mujer. Sentí agitarse en mi interior un extraño conflicto, un extraño y oscuro temor—. Confío en que no vuelvan a lastimarle.

«Uno se pregunta...» murmuró una suave voz en mi oído. Me volví, pero no vi a nadie que pudiera haber pronunciado esa frase. Ursula miró en torno a ella.

—¿Qué ocurre, Vittorio? —preguntó.

Pero yo reconocí ese murmullo, que volvió a producirse, íntimo e incorpóreo: «Uno se pregunta dónde estaban sus ángeles custodios el día en que a Fra Filippo se le ocurrió cometer semejante locura.»

Me volví una y otra vez, frenético, impaciente, intentando localizar esa voz. Unos hombres se apartaron de mí e hicieron unos pequeños gestos de irritación. Tomé a Ursula de la mano y la conduje con prisas hacia la puerta.

Una vez fuera de la iglesia, en la plaza situada frente al Duomo, mi corazón dejó de latir con violencia. Yo no sabía que esa nueva sangre haría que experimentara semejante angustia, tristeza y temor.

—¡Se ha fugado con una monja para pintar a la Virgen! —exclamé en voz baja.

—No llores, Vittorio —dijo Ursula.

—¡No me hables como si fuera tu hermano pequeño! —espeté, pero enseguida me avergoncé de haberla tratado de esa forma. Ursula me miró entre sorprendida y dolida, como si le hubiera propinado un bofetón. Le tomé la mano y se la besé—. Lo lamento, Ursula, perdóname.

Echamos a andar tomados de la mano.

—¿Adónde vamos? —preguntó ella.

—A casa de Fra Filippo, a su taller. No me hagas más preguntas.

Al cabo de unos momentos atravesamos la estrecha callejuela, entre cuyos muros resonaba el eco de nuestros pasos, y nos detuvimos ante la puerta del taller, que estaba cerrada. No vi luz alguna, salvo en las ventanas del tercer piso, como si el pintor se hubiera visto obligado a refugiarse con su amada en el piso más alto del edificio.

No había ninguna multitud congregada ante la casa.

Pero de pronto una mano arrojó desde las sombras un puñado de tierra contra la puerta cerrada a cal y canto, seguido de otro puñado de tierra y de una andanada de piedras. Yo retrocedí, protegiendo a Ursula con el brazo, y observé cómo un transeúnte tras otro se acercaban a la puerta y proferían unos insultos contra el taller.

Al cabo de un rato me apoyé en el muro frente al taller y contemplé distraídamente la oscuridad. Oí la voz grave de la campana de la iglesia dar las once, indicando que todo el mundo debía desalojar las calles.

Ursula aguardó a que yo tomara la iniciativa, en silencio, y me observó preocupada cuando yo alcé la cabeza y vi apagarse las últimas luces en casa de Fra Filippo.

—Yo tengo la culpa —dije—. Hice que sus ángeles se apartaran de su lado y él cometió esa locura. ¿Y total para qué? ¿Para yo poseerte como en estos momentos él posee a su monja?

—No sé a qué te refieres, Vittorio —respondió Ursula—. ¿Qué me importan a mí unas monjas y unos sacerdotes? Jamás he dicho una palabra con la intención de herirte, pero ahora te hablaré sin rodeos. No te quedes ahí parado lloriqueando por esos mortales que tanto amabas. Estamos casados, y ni los votos de un convento ni ninguna orden sacerdotal pueden separarnos. Alejémonos de aquí, y cuando desees mostrarme a la luz de las lámparas las maravillas de este pintor, tráeme aquí para que contemple esos ángeles de los que me has hablado plasmados en pigmento y óleo.

La firmeza de su tono hizo que me arrepintiera de mi brusquedad. Le besé de nuevo la mano. Le dije que lo lamentaba. La estreché contra mi corazón.

No sé cuánto rato permanecimos abrazados en la calle, frente al taller del pintor. Transcurrieron unos momentos. Percibí el chorro de agua de un grifo y unos pasos distantes, pero nada de particular, nada que importara en la densa noche de la concurrida Florencia, con sus palacios de cuatro y cinco pisos, las derruidas torres, las iglesias y las decenas de millares de almas que dormían.

De pronto me sobresalté al ver una luz que caía sobre mí formando un puñado de haces amarillos. El primero era poco más que una delgada línea de luz, que se proyectó en sentido horizontal sobre Ursula, seguido de otro que iluminó el callejón donde nos encontrábamos. Deduje que habían encendido unas lámparas en el taller de Fra Filippo.

Me volví en el preciso instante en que alguien descorría el cerrojo de la puerta en el interior, produciendo un ruido grave y chirriante. El sonido reverberó entre los oscuros muros. Arriba, detrás de las ventanas cubiertas con barrotes, no se veía ninguna luz encendida.

De pronto se abrió la puerta de par en par, sus dos hojas giraron hacia atrás y golpearon el muro levemente. Vi el amplio rectángulo del interior, una habitación espaciosa y profunda repleta de brillantes lienzos que resplandecían a la luz de tal cantidad de velas que parecía una capilla dispuesta para celebrar la misa del obispo.

Me quedé estupefacto. Aferré a Ursula por el dorso de la cabeza y señalé.

—¡Ahí están, las dos pinturas, las *Anunciaciones*! —murmuré—. ¡Fíjate en los ángeles, esos ángeles arrodillados, allí, y allí, unos ángeles planos, postrados de rodillas ante las Vírgenes!

—Ya los veo —respondió ella con tono reverente—. Son más hermosos de lo que supuse. No llores, Vittorio —añadió apretándome el brazo—, a menos que te sientas conmovido por su belleza, es el único motivo válido.

—¿Es una orden, Ursula? —pregunté. Tenía los ojos tan nublados de lágrimas que apenas atinaba a ver las figuras postradas de rodillas de Ramiel y Setheus.

Pero cuando me enjugué las lágrimas, cuando traté de recobrar la compostura y tragarme el dolor que me atenazaba la garganta, comenzó el milagro que yo temía más que a nada en el mundo, aunque a la vez lo deseaba con todas mis fuerzas.

Mis ángeles rubios vestidos de seda, rodeados por unos halos, abandonaron simultáneamente la tela de los cuadros, como si se desprendieran del tupido tejido. Se volvieron unos instantes para mirarme y luego se movieron de forma que ya no eran unos perfiles planos, sino unas robustas figuras que se posaron sobre las piedras del suelo del taller.

Por la exclamación de asombro de Ursula comprendí que había presenciado también esa secuencia de gestos prodigiosos. Atónita, se cubrió la boca con la mano.

—Castigadme —musité—. Castigadme arrebatándome los ojos de forma que jamás vuelva a contemplar vuestra belleza.

Lentamente, Ramiel meneó la cabeza en sentido negativo. Setheus hizo otro tanto. Me contemplaron en silencio, uno junto al otro, descalzos como de costumbre, ataviados con unas holgadas ropas demasiado ligeras para moverse en la pesada atmósfera.

—Entonces, ¿qué vais a hacer conmigo? —pregunté—.

¿Qué merezco de vosotros? ¿Cómo es que puedo contemplaros a vosotros e incluso vuestro esplendor? —De mis ojos brotó un nuevo torrente de infantiles lágrimas, por más que Ursula me mirara con ceño, por más que intentase con su silencioso gesto de desaprobación que yo me comportara como un hombre.

Pero no pude contenerme.

—¿Qué vais a hacer conmigo? ¿Cómo es posible que todavía pueda veros?

—Siempre nos verás —contestó Ramiel con voz suave y neutra.

—Cada vez que contemples una de sus pinturas, nos verás —apostilló Setheus—, o verás a un ángel semejante a nosotros.

Su voz no contenía el menor tono de censura, sino la maravillosa serenidad y bondad que siempre me habían prodigado.

Pero la cosa no acabó ahí. Detrás de ellos vi cómo cobraban forma unas siluetas oscuras, mis guardianes, aquel par de ángeles de aire solemne y piel marfileña, vestidos con unas túnicas de un color azul intenso.

Qué expresión tan dura reflejaban sus sagaces ojos, despectivos aunque sin la crueldad que los hombres confieren a esas pasiones. Qué glacial y distante.

Abrí la boca, a punto de emitir un grito. Pero no me atreví a despertar a la noche que me rodeaba, deslizándose sobre los miles de empinados techados de tejas rojas, sobre las colinas y los campos, bajo la multitud de estrellas.

De pronto todo el edificio comenzó a temblar y los lienzos, brillantes y resplandecientes en su baño de luz violenta, refulgían como sacudidos por un terremoto.

Mastema apareció de repente ante mí, y la habitación retrocedió, se hizo más amplia, más profunda; los otros ángeles, sus subordinados, retrocedieron también como impulsados por un viento silencioso que no admite desafío.

El torrente de luz parecía prender fuego a sus inmensas

alas doradas, las cuales abarcaban todos los rincones de la inmensa habitación, y su casco rojo relucía como si fuera lava. Mastema desenvainó su espada.

Retrocedí, arrastrando a Ursula conmigo. La empujé hacia el frío y húmedo muro y la obligué permanecer allí, aprisionada, detrás de mí, defendiéndola en la medida de lo posible de los peligros que la acechaban en la Tierra, extendiendo los brazos hacia ella para impedir que se moviera y que me la arrebataran.

—Ah —dijo Mastema, empuñando la espada al tiempo que sonreía y asentía con la cabeza—. ¡De modo que prefieres ir al infierno que dejar que ella muera!

—¡Sí! —repliqué—. No tengo elección.

—¡Por supuesto que la tienes!

—No la mates. Mátame a mí y envíame al infierno, pero concédele a ella otra oportunidad...

Ursula emitió un grito y me agarró del pelo como quien se aferra a una tabla salvavidas.

—Acaba de una vez —dije—. ¡Córtame la cabeza y envíame ante el Señor para que me juzgue y yo pueda interceder por ella! Hazlo, Mastema, te lo suplico, pero no la mates. Aún no ha aprendido a pedir perdón.

Sosteniendo la espada en alto, Mastema me agarró por el cuello y me atrajo hacia él. Ursula voló detrás de mí. El ángel me sostuvo a pocos centímetros de su rostro, contemplándome con sus luminosos ojos.

—¿Y cuándo aprenderá a hacerlo? ¿Y cuándo aprenderás tú?

¿Qué podía yo responder? ¿Qué podía hacer?

—Yo te enseñaré, Vittorio —murmuró Mastema en tono de irritación—. Yo te enseñaré a pedir perdón cada noche de tu vida.

De pronto sentí que me elevaba, sentí que el viento agitaba mi ropa, sentí las diminutas manos de Ursula aferrarse a mí y el peso de su cabeza sobre mi espalda.

El ángel nos arrastró a través de las calles hasta que de repente apareció ante nosotros una nutrida multitud de mortales holgazanes que salían de una taberna, borrachos y riendo a carcajadas; una masa de rostros naturales, hinchados, y prendas oscuras agitadas por la brisa.

—¿Los ves, Vittorio? ¿Ves a esos seres de los que te alimentas? —preguntó Mastema.

—¡Sí, Mastema! —contesté tratando de asir la mano de Ursula, de sujetarla, de protegerla—. ¡Los veo, sí!

—Todos ellos, Vittorio, poseen lo que yo veo en ti, y en ella: un alma humana. ¿Sabes lo que es eso, Vittorio? ¿Lo intuyes?

No me atreví a responder.

La multitud se dispersó a través de la iluminada plaza, aproximándose a nosotros.

—En cada uno de ellos anida una chispa del poder que nos creó a todos —continuó Mastema—, una chispa de lo invisible, lo sutil, lo sagrado, lo misterioso, la chispa que creó todo cuanto existe.

—¡Dios! —exclamé—. ¡Fíjate, Ursula!

Cada uno de aquellos mortales, hombres, mujeres, viejos o jóvenes, había adquirido un resplandor dorado. De ellos emanaba una luz que rodeaba y envolvía a cada figura, un sutil cuerpo de luz idéntico a la forma del ser humano que caminaba rodeado por éste, sin percatarse de ello. Toda la plaza estaba inundada de esta luz dorada.

Observé mis manos y comprobé que también estaban rodeadas por ese cuerpo sutil y etéreo, esa hermosa, resplandeciente y sobrenatural presencia, ese maravilloso fuego incombustible.

Me volví con tal brusquedad que mis ropas se enredaron entre mis piernas, y vi a Ursula envuelta en esa llama. La vi viva y respirando dentro de ella, vuelta hacia la multitud, y comprobé de nuevo que cada uno de aquellos seres vivía y respiraba dentro de esa llama, y en ese instante comprendí con meridiana claridad que la vería siempre, que jamás vería a unos seres humanos, ya fueran monstruos o gentes de bien, desprovistos de ese infinito y cegador fuego del alma.

—Sí —me susurró Mastema al oído—. Sí. Eternamente, y cada vez que mates a uno de esos seres, cada vez que claves tus malditos colmillos en sus tiernos cuellos, cada vez que bebas la siniestra sangre que precisas para subsistir, como la más feroz de las bestias creadas por Dios, verás esa luz estremecerse y pugnar por seguir viva, y cuando hayas saciado tu apetito y el corazón de tu víctima se detenga, verás apagarse esa luz.

Me aparté de Mastema, y él no me lo impidió.

Tomé a Ursula de la mano y eché a correr en dirección al Arno, hacia el puente, hacia las tabernas que aún permanecían abiertas, pero antes de ver las refulgentes llamas de las almas que había allí, vislumbré el resplandor de las almas a través de centenares de ventanas, el resplandor de las almas filtrándose por debajo de las puertas cerradas.

Al ver aquello comprendí que Mastema había dicho la verdad. Siempre lo vería. Vería la chispa del Creador en cada ser humano con quien me encontrara, en cada ser humano que matara.

Al llegar al río, me incliné sobre la balaustrada de piedra. Grité una y otra vez, dejando que el eco de mis gritos resonara sobre el agua y los muros de los edificios. Estaba enloquecido de dolor. De golpe apareció a través de la oscuridad un niño que avanzaba hacia mí, un mendigo, bien versado en las palabras que debía decir para obtener un mendrugo de pan, unas monedas o la caridad que alguien quisiera darle, y vi que resplandecía envuelto en aquella deslumbrante y prodigiosa luz.

16

Y las tinieblas no la recibieron

A lo largo de los años, cada vez que contemplaba una de las magníficas creaciones de Fra Filippo, los ángeles cobraban vida ante mí. Tan sólo por unos instantes, el tiempo suficiente para que sintiera un aguijonazo en lo más profundo de mi corazón.

Mastema no apareció en las obras de Fra Filippo hasta al cabo de unos años, cuando éste, peleando y discutiendo como de costumbre, comenzó a trabajar para Piero, hijo de Cosme, que había muerto.

Fra Filippo no renunció a su amada monja, Lucrezia Buti, y decían que cada Virgen que pintaba (y fueron muchas) ostentaba el bello rostro de Lucrezia. Lucrezia dio a Filippo un hijo, y éste asumió como pintor el nombre de Filippino. Su obra era también espléndida, pródiga en ángeles, los cuales también cobran forma ante mis ojos cuando, triste, desgraciado, lleno de amor y temeroso, acudo a admirar esas telas.

En 1469, Filippo murió en la ciudad de Spoleto, y con él murió uno de los más grandes pintores que jamás han existido. Fue el hombre a quien castigaron con el potro del tormento por fraude, que raptó a una monja del convento; el hombre que pintó a María como una Virgen asustada, como la Madonna de la Noche Navideña, como la Reina del Cielo, como la Reina de todos los Santos.

En cuanto a mí, quinientos años más tarde apenas me alejo de la ciudad que vio nacer a Filippo y la época que se dio en llamar la Edad de Oro.

Oro. Eso es lo que veo cuando te miro a ti, lector.

Eso es lo que veo cuando miro a cualquier hombre, mujer, niño.

Veo el flamígero oro celestial que Mastema me mostró. Lo veo rodeándole, abrazándole, envolviéndole y bailando contigo, lector, aunque tú no puedas verlo, ni te interese.

Esta noche, desde la torre en la Toscana, contemplo el paisaje, y a lo lejos, en los valles, veo el oro de los seres humanos, la resplandeciente vitalidad de las almas que palpitan.

Ésta es mi historia.

¿Qué te ha parecido?

¿No adviertes un extraño conflicto en ella? ¿Un dilema?

Vayamos por partes.

Retrocedamos al comienzo de la historia, cuando explico que mi padre y yo cabalgábamos juntos por el bosque, hablando sobre Fra Filippo, y mi padre me pregunta qué me atrae de ese monje. Yo respondo que es la lucha que se libra en su interior y su personalidad ambivalente, y que de esa personalidad ambivalente, de ese conflicto, nace el tormento que Filippo plasma en los rostros que pinta.

Filippo era un hombre atormentado. Al igual que yo.

Mi padre, un hombre de temperamento tranquilo y personalidad menos compleja, sonrió.

Pero ¿qué significa en relación con esta historia?

Sí, soy un vampiro, como ya he dicho; soy un ser que se alimenta de vida mortal. Vivo en silencio, satisfecho, en mi tierra, en las oscuras sombras de mi castillo, y Ursula está siempre junto a mí; y quinientos años no es tanto tiempo para que un amor como el nuestro se haya fortalecido.

Somos demonios. Estamos condenados. Pero ¿acaso no hemos presenciado y comprendido multitud de cosas, no he relatado en este libro algunas cosas que puedan resultarle útiles al lector? ¿No he descrito un conflicto tan tormentoso que hace que aquí brille algo lleno de luz y color, como las obras de Filippo? ¿Acaso no he bordado, tejido, dorado, sangrado?

Analícese mi historia y dígaseme que no le ha aportado nada. No lo creeré.

Cuando pienso en Filippo, en su rapto de Lucrezia y en sus tempestuosos pecados, ¿cómo hacer para separarlos de la magnificencia de sus obras? ¿Cómo separar la violación de sus votos, sus engaños y peleas, del esplendor que Filippo concedió al mundo?

No digo que yo sea un gran pintor. No soy tan estúpido. Pero sí afirmo que de mi dolor, de mi locura, de mi pasión ha nacido una visión, una visión que llevo eternamente conmigo y que te ofrezco.

Es una visión de cada ser humano, rebosante de fuego y misterio, una visión que no puedo negar ni eliminar, ni darle la espalda, ni despreciar, ni escapar de ella.

Otros escriben sobre dudas y tinieblas.

Otros escriben sobre lo absurdo y el silencio.

Yo escribo sobre un oro indefinible y celestial que arderá eternamente.

Escribo sobre una sed se sangre que jamás lograré saciar. Escribo sobre el conocimiento y su precio.

Contémplese la luz que arde en su interior. Yo la veo. La veo en cada uno de nosotros, y siempre la veré. La veo cuando tengo hambre, cuando lucho, cuando mato. La veo estremecerse y morir en mis brazos al beber la sangre de mis víctimas.

¿Te imaginas lo que representaría para mí matarte, lector?

Confiemos en que no necesites presenciar un asesinato o una violación para ver esta luz en los seres que te rodean. Ruega a Dios que no te exija pagar ese precio. Deja que yo lo pague por ti.

Bibliografía seleccionada y anotada

Fui a Florencia para recibir este manuscrito directamente de manos de Vittorio di Raniari. Era mi cuarta visita a la ciudad, y decidí, junto con Vittorio, enumerar aquí algunos libros para los lectores que deseen conocer más detalles sobre la Edad de Oro en Florencia y sobre la ciudad misma.

Permita el lector que le recomiende, en primer lugar, el brillante texto titulado *Public Life in Renaissance Florence* de Richard C. Trexler, publicado en la actualidad por Cornell University Press.

El profesor Trexler ha escrito también otros libros maravillosos sobre Italia, pero éste es una obra extraordinariamente interesante y enriquecedora, en especial para mí, pues los análisis y comentarios del profesor Trexler sobre Florencia me han ayudado a comprender mejor mi ciudad de Nueva Orleans, en Luisiana, más que cualquier otra obra que se ha escrito sobre ella.

Nueva Orleans, al igual que Florencia, es una ciudad de espectáculos públicos, ritos y días festivos, de manifestaciones de celebraciones y creencias colectivas. Resulta casi imposible describir Nueva Orleans de forma realista a quienes no la hayan visitado, su Carnaval, su día de San Patricio y su festival de jazz anual. La brillante erudición del profesor Trexler me procuró las herramientas con que reunir los pensamientos y observaciones a propósito de las cosas que más amo.

Entre las obras del profesor Trexler cabe destacar su *Journey of the Magi: Meanings in History of a Christian Story*, un libro que descubrí hace poco. Los lectores que hayan leído mis anteriores novelas recordarán la intensa, ferviente y sacrílega relación entre el vampiro Armand y el cuadro florentino titulado *El cortejo de los reyes magos*, pintado para Piero de Médicis por Benozzo Gozzoli, que en la actualidad se exhibe en Florencia en todo su esplendor.

Sobre el gran pintor Fra Filippo Lippi, permita el lector que le recomiende en primer lugar su biografía escrita por el pintor Vasari, por los interesantes aunque inverificables datos que aporta.

Asimismo, existe un brillante libro titulado *Filippo Lippi*, publicado por Scala, cuyo texto es obra de Gloria Fossi, que se vende en numerosas traducciones en Florencia y otras ciudades de Italia. Aparte de éste, el único libro que conozco dedicado de forma exclusiva a la figura de Filippo es la inmensa obra de Jeffrey Ruda *Fra Filippo Lippi*, publicada por Phaidon Press.

Los libros más amenos para el lector en general que he leído sobre Florencia y los Médicis son los de Christopher Hibbert, entre ellos *Florence: The Biography of a City*, publicado por Norton, y *The House of Medici: Its Rise and Fall*, publicado por Morrow.

También recomiendo *The Medici of Florence: A Family Portrait*, de Emma Micheletti y publicado por Becocci Editore. *The Medici*, de James Cleugh, que apareció por primera vez en 1975, en la actualidad está publicado por Barnes & Noble.

Abundan los libros de divulgación sobre Florencia y la Toscana: observaciones de viajeros, tributos y memorias entrañables. Las principales fuentes, es decir, cartas, crónicas y diarios escritos durante el Renacimientos en Florencia, se hallan en gran número de bibliotecas y librerías.

Recomiendo a los lectores que eviten las versiones compendiadas de las obras de san Agustín, quien vivió en un mundo pagano donde los cristianos más escrupulosos desde el punto de vista teológico seguían creyendo en la existencia demoníaca de los dioses paganos caídos. Para comprender Florencia y su romance del siglo XV con las alegrías y libertades de una herencia clásica, es preciso leer a san Agustín y a santo Tomás de Aquino en todo su contexto.

Para quienes deseen una mayor información sobre el maravilloso museo de San Marcos, existen numerosas obras sobre Fra Angelico, el pintor más famoso del monasterio, que incluyen descripciones y detalles sobre el edificio, y un gran número de libros sobre la arquitectura de la ciudad de Florencia. Tengo una deuda de gratitud con el museo de San Marcos no sólo por haber conservado la espléndida obra arquitectónica de Michelozzo, tan ensalzada en esta novela, sino por las publicaciones que venden en la tienda del monasterio acerca de su arquitectura y obras de arte.

Por último, deseo añadir lo siguiente: si pidieran a Vittorio que citara una grabación de música del Renacimiento que transmitiera del modo más fiel posible el ambiente de la misa y la eucaristía que él presenció en la Corte del Grial de Rubí, sin duda sería las *Vísperas de Todos los Santos*, una música de réquiem procedente de la catedral de Córdoba, interpretada por la Orchestra of the Renaissance bajo la dirección de Richard Cheetham. Sin embargo, debo señalar que se cree que esta música se compuso hacia 1570, algunos años después de que Vittorio viviera su terrorífica experiencia. El disco ha sido editado por el sello Veritas, a través de Virgin Classics.

Como colofón a estas notas, permítame el lector una última cita de *La ciudad de Dios*, de san Agustín:

> Dios jamás habría creado al hombre, y menos a un ángel, sabiendo de antemano que iba a caer en el pecado, de no haber sabido al mismo cómo utilizar a estas cria-

turas de forma provechosa, enriqueciendo el curso de la historia universal mediante la antítesis que otorga belleza a un poema.

Personalmente, ignoro si san Agustín está en lo cierto o no. Pero en cualquier caso, creo que merece la pena tratar de pintar un cuadro, escribir una novela... o un poema.

ANNE RICE

Índice